단 하나의 질문

단 하나의 질문

1판 1쇄 인쇄 | 2020년 11월 26일
1판 1쇄 발행 | 2021년 1월 1일

지은이 | 임창덕
펴낸이 | 김무영
편 집 | 나정원, 변지영
본문디자인 | 이다래
표지디자인 | 김효경
인 쇄 | ㈜민언프린텍
종 이 | ㈜지우페이퍼

펴 낸 곳 | 텍스트CUBE
출판등록 | 2019년 9월 30일 제2019-000116호
주 소 | 03190 서울시 종로구 종로80-2 삼양빌딩 311호
전자우편 | textcubebooks@naver.com
전 화 | 02 739-6638
팩 스 | 02 739-6639

ISBN 979-11-968264-3-7 03810

※ 이 도서의 국립중앙도서관 출판예정도서목록(CIP)은 서지정보유통지원시스템 홈페이지(http://seoji.nl.go.kr)와
  국가자료공동목록시스템(http://www.nl.go.kr/kolisnet)에서 이용하실 수 있습니다.
  (CIP제어번호: CIP2020053831)

단 하나의 질문

임창덕 지음

텍스트
CUBE

• 목차 •

단 하나의 질문에 내놓는 유일한 답

영국의 역사가인 토마스 칼라일Thomas Carlyle은 "목적이 없는 사람은 키 없는 배와 같고 한낱 떠돌이에 불과하다."고 했다. 목적은 일종의 나침반이고 등대와 같은 역할을 한다. 목적 없이 일을 시작하는 것은 실패를 계획하는 것과 같아서 우리는 무언가를 시작할 때는 목적을 염두에 둬야 한다. 그러나 시간이 갈수록 목적이 흐려지거나 흐지부지되는 경우가 많다. 필자는 이런 경우를 '목적 없는 산만함'이라 한다. 고민은 많이 하지만 답은 보이지 않고, 인생을 사는 시간은 길어졌지만 시간 속에 삶의 의미를 찾는 법을 상실한 우리 시대의 역설과 잇닿아 있다.

천천히 서두르라

목적지까지 제대로 가기 위해서는 당장은 늦더라도 지향점을 분명히 하고 이유를 명확히 할 필요가 있다. 애브라함 링컨 Abraham Lincoln은 나무를 베기 위해 한 시간이 주어진다면, 도끼 날을 가는데 45분을 사용하겠다고 말한 바 있다. 누군가는 그 시간에 빨리 나무를 베지 뭐하는 거냐며 비난할 수 있다. 그러나 통제된 포기를 통해 원하는 목표점에 도달할 수 있다.

빨리 가는 것도 중요하지만 방향을 제대로 잡는 것이 중요하다. 인생은 속도가 아니라 방향이라는 말이 있다. 성공은 서 있는 위치가 아니라 바라보는 방향이다.

한편 우리가 꿈꾸는 목적이나 목표는 내면의 울림이나 직감에서 나온 것이 아닌 타인의 시선이거나 자본으로 환가되는 그 무엇인 경우가 많다. 자크 라캉 Jacques Lacan 은 타인의 욕망을 욕망한다는 유명한 말을 남겼다. 내가 꿈꾸는 것이 순수한 의미로 나의 마음에서 우러나온 것이 아닌 타인의 시선이 매개되고, 타인이 좋아할 것 같은 것을 추구한다는 뜻이다. 마치 미리 정해놓은 길만 따라가는 것처럼 살아가고 있는지 고민해 볼 필요가 있다.

내 삶의 목적

하마터면 열심히 살 뻔했다는 어떤 말처럼 타인이 설정한 기준이 정답인양 맹목적으로, 너무 열심히 따라 살다 보면 정작 자신의 정체성을 잃어버리고, 자기 잠재력을 상실하고 만다. 타인이 원하는 목적은 조금은 빠르고, 조금은 화려한 무엇인 경우가 많다. 하지만 우리에게 소중한 것은 조금 느린, 어떤 때는 모난 경우일 수 있다.

우리가 경계해야 할 것은 목적이 이끄는 삶에서 사건에 해당하는 목적에만 집중해서는 안된다. 과정 자체도 소중하다. 우리에게는 유일하게 할 수 없는 날이 이틀이 있다. 바로 어제와 내일이다. 어제에 얽매이거나 내일만을 위한 삶도 금물이다. 오늘에 충실하면 결국 내일이 오늘이 된다.

앙드레 말로 Andre Malraux는 오랫동안 꿈을 꾼 이는 마침내 그 꿈을 닮아간다고 했다. 우리가 바람의 방향을 바꿀 수는 없어도 배의 돛은 바꿀 수 있다. 앞에 놓인 역경과 마주하더라도 역경을 기회로 원하는 방향으로 나아갈 수 있다. 하버드대 도서관에는 지금 잠을 자면 꿈을 꾸지만, 노력하면 꿈을 이룰 수 있다는 글귀가 있다. 목적이 이끄는 삶에도 노력이 전제되어야 한다.

그래서 우리는 질문해야 한다. 그 질문은 내가 나에게 던지는 질문이어야 한다. 그 단 하나의 질문이 변화하는 세상속에서도 오직 변하지 않는 내 삶의 목표를 가르쳐줄 것이다.

2020년 12월
겨울로 가는 길목에서

변한다는
것만이
확실하다

"아무것도 하지 않은 것을 후회하면서 사느니
실패한 것을 후회하는 삶을 살겠다."

엠제이 드마코

1장

변화와
인간

01

변화하는 시대,
반드시 갖춰야 할 조건

'줍줍'이라는 신조어가 있다. '줍고 줍는다'는 뜻인데, '줍줍' 찬스라는 말은 기사에 쓰일 정도로 익숙해지고 있는 말이다. 그야말로 '줍줍'하지 않으면 어휘의 뜻도 파악하지 못할 정도로 하루가 다르게 말이 변하고, 사회가 변하고 있다.

게다가 신종 코로나바이러스 감염증코로나19이라는 악재까지 더해지면서 정확한 경제예측도 쉽지 않게 되었다. 다만 어느 정도 미래에 대한 예측은 가능하다. 지금처럼 혁신의 속도가 빨라지고, 변화 기간이 급격히 짧아지는 초스피드와 같은 뉴 노멀 시대에는 자신의 선택과 판단이 생존과 퇴보를 결정한다. 그렇다면 변화하는 시대, 우리가 반드시 갖춰야 할 조건은 무엇일까? 제일 먼저는 변화에 대해서 스스로 대응하는 자세가 필요할 것이다.

새로운 치즈를 찾아라!

『누가 내 치즈를 옮겼을까』는 변화무쌍한 작금의 시대를 사는 우리에게 쥐 두 마리와 꼬마 인간 두 명이 어떻게 변화에 대처하는지 보여준다. 여기서 치즈는 삶의 목표이자 추구하는 방향 등을 의미한다. 쥐와 인간은 매일 아침 치즈를 찾아 나서지만, 변화에 대응하는 태도는 서로 달랐다. 직관력이 뛰어난 쥐는 치즈가 줄어들고 있음을 감지하고 매일 치즈 창고 주변을 점검했다. 하지만 인간은 사라진 치즈를 보면서도 다시 채워질 거라는 막연한 기대로 변화를 무시하거나 축소하려는 낙관 편향을 보인다.

현재를 가리켜 변동성이 심하고Volatile, 불확실하고Uncertain, 복잡하고Complex, 모호한 VUCA 시대라고 한다. 변화 속도가 빠르고 시장의 변동성이 그만큼 크다는 의미다. 세계는 예측하기 어려운 뉴 애브노멀New Abnormal 시대로, 불확실성을 넘어 미증유의 초불확실성 시대로 변화하고 있다.

오늘날의 위기는 위기가 현실화되는 속도와 모멘텀momentum이 함께 작용하면서 파급 효과는 다양한 속도로 전개된다는 점이 특징이다. 이러한 상황에서 기업이나 개인은 위기에 적극적으로 대응할 필요가 있다. 1990년 포춘Fortune에서 선정한 500대 기업 중에 20년간 그 지위를 유지한 기업은 불과 24.2% 정도였다. 시대 변화에 발 빠르게 대응하고 미리 변화를 대비한 기업만 살아남았다.

개인이라고 다르지 않다. 회광반조回光返照라는 말이 있다. 밖을 향해 비추던 빛을 스스로에게 비추어 보아야 한다. 노동시장에서 자신의 경쟁력이 어떤지를 객관화하고 위기 이후의 변화에 선제적으로 대응할 수 있어야 한다.

『누가 내 치즈를 옮겼을까』에서 치즈는 하룻밤 사이에 사라진 게 아니다. 누가 옮긴 것도 아니었다. 매일 쉽게 얻었던 것이지만 치즈가 줄어들고 있는 변화 양상에 둔감했고, 맛까지 변해갔음에도 그것을 감지하지 못했던 것이 문제점이었다. 변화무쌍한 사회에서 변화에 둔감한 것만큼 어리석은 행동은 없을 것이다. 이 책에는 'Old beliefs do not lead you to new cheese'라는 문구가 나온다. 이는 오래된 신념이 새 치즈를 찾도록 하지 않는다는 뜻으로, 결국 치즈는 우리 내부에 있다는 것이다.

혼돈의 시대를 사는 우리에게 과거의 성공 경험은 오히려 최대의 장애물이 될 수도 있다. 방심하는 순간 무너지고 마는 것이다. 기업이든, 개인이든 유연한 사고로 변화와 혁신을 선도하지 못하면 도태될 수밖에 없다. 변화와 혁신은 선택이 아니라 성장과 번영을 위한 필수조건이다. 예측하기 어려운 뉴애브노멀 시대, 변화의 압력에 잘 대처하기 위해서는 전략적인 변화가 필요하다. 새로운 치즈, 즉 '변화'를 찾아 떠나야 한다.

'아는 것이 힘이다'를 주장했던 프랜시스 베이컨. 이제는 하는 것이 힘이다.

아는 것이 힘이 아니라, 하는 것이 힘이다

인터넷이 막 상용화되던 1994년 살펴보면 변화에 둔감한 것이 무엇인지 더욱 실감나게 다가온다. 당시 타임TIME은 놀랍게도 인터넷은 결코 주류가 되지 못할 것이라고 예측했다. 뉴스위크Newsweek는 '웹은 결국 실패할 것'이라는 기고문을 싣기도 했다. 천체물리학자 클리프 스톨Cliff Stol은 "온라인으로 뉴스를 보거나 책을 읽는 미래가 올 것은 상식에 맞지 않는다."고 말한 바 있다. 그러나 지금은 모든 세계가 인터넷으로 연결되는 초연결성 시대가 되었다. 혁신의 바탕이 되어야 할 교육은 여전히 지나간 지식이나 실용적이지 못한 것에 집중돼 있다. 학생들은 입시를 위한 시험으로 쉴 시간조차 없다. 끊임없는 주입식 교육과 답을 도출하기 위한 기계적 사고는 학문으로 향하는 깊이보다 눈앞에 보이는 진학을 위한 학업에만 머무르는 형편이다. 대학을 졸업하면 다시 취업교육을 따로 받아야 하는 지경이다. 과연 아는 것이 힘일까? 우리는 제대로 알고 있는 걸까? 이제는 인식의 전환이 필요하다.

아무것도 하지 않으면 어떤 일도 일어나지 않는다. 먼저 변화에 대해 스스로 대응하는 자세가 필요하다. 결국 아는 것이 힘이 아니라 하는 것이 힘이다. 변화는 늘 있어 왔고 앞으로도 계속될 것이다. 동시에 우리에게 도전의 기회를 제공할 것이다.

기회는 준비와 시기가 맞을 때 비로소 찾아온다. 사회가 발전하고 과학이 더욱 진보할수록 해당 기술 관련 분야는 물론이고 보다 창조적이고 감성적인 분야와 관련된 일자리가 늘어날 가능성이 높아진다. 시대를 흐름을 읽어내는 직관력, 어떻게 사회가 바뀔 수 있을 것인지에 관한 상상력, 다른 분야에도 관심을 갖는 지적 호기심, 사회현상을 분석하고 통합하는 분석력과 통합력 등이 필수다.

그러므로 뉴노멀 시대에서 가장 중요한 것은 자신의 가치를 알고, 자신에게 맞는 올바른 판단을 하는 것이다. 혼자만의 생각에 갇혀서 머물러 있다면, 사과나무에서 사과가 떨어지기만 기다리는 것과 다를 바 없다. 아는 것을 뛰어넘어야 한다. 하는 것이 곧 힘인 시대이다. 변화에 대응하고, 먼저 도전하라.

실패가 많다고 해도 오히려 많을수록 더 좋다. 그것은 곧 자신의 가치를 키우는 자양분이 될 것이다. 무엇이든 할 수 있는 건강한 신체가 있음에 감사하라. 막연한 두려움은 직접 부딪히면서 극복할 수 있다.

아무것도 하지 않으면
어떤 일도 일어나지 않는다.

먼저 변화에 대해
스스로 대응하는 자세가 필요하다.

결국, 아는 것이 힘이 아니라
하는 것이 힘이다.

02

혼족의 시대 vs
다문화 시대

　　지금 시대만큼 혼란스럽고, 다채로운 때도 없을 것이다. 먼저 1인 가구 시대가 본격적으로 도래하면서 '혼족'이라는 새로운 생활양식의 사람들이 더욱 많아졌다. 이로 인해 발생하는 문제도 적지 않다. 1인 가구 시대와 다문화 사회를 살아가면서 일어나는 문제를 짚어보고, 해결책을 모색해보자.

나 혼자 산다 : 혼족의 시대

　　1인 가구 증가를 반영하듯 솔로 이코노미Solo Economy, 혼자 사는 것을 의미하는 단어인 싱글턴Singleton 그리고 혼자 사는 사람들에 대한 사회적 편견을 의미하는 싱글리즘Singlism이라는 신조어도 등장했다. 또 혼자이지만 자기만의 방식으로 안락함과 즐거움을 추구하는 것을 의미하는 나홀로 라운징Alone with Lounging이 회자되기도 하고, 혼자 사는 사람들이 특정한 취향과 취미를 통해 모르는 사람이라도 함께 만나 식사한다는 소셜 다이닝Social Dining이라는 말도 생겨났다. 이러한 신조어는 사회현상을 적극적으로 반영하고 있다. 지금은 바야흐로 1인 가구 증가시대라고 말해도 과언이 아닐 것이다. 가장 직관적으로 보여주는 MBC 예능 〈나 혼자 산다〉가 있다. 요즘 1인 식당 찾는 건 어려운 일이 아니다. 메뉴의 스펙트럼 또한 넓어졌다. 단순하고 간편한 분식 정도가 아니라 자리 잡고 앉아서 먹어야 하는 메뉴인 보쌈, 샤브샤브까지 1인 메뉴로 등장했다.

통계청 자료를 보면 1인 가구 증가세는 수치상으로도 눈에 뜨이는 변화를 보여준다. 우리나라 1인 가구는 1990년 9.0%에서 2010년 23.9%로 빠르게 증가했고, 4인 가구 비율은 22.5%를 앞질렀다. 1인 가구 수는 2020년 29.6%, 2030년 32.7%까지 꾸준히 높아질 것이라고 한다.

최근 『한국사회동향』에 따르면 성별과 연령대별 1인 가구 유형에서 30내 이하는 남성, 70대 이상은 여성의 비율이 높았다. 1인 가구 유형은 크게 자발적 또는 비자발적 1인 가구로 분류할 수 있는데, 비자발적 1인 가구는 고령화 진전과 남녀 간의 평균수명 차이로 인한 고령 1인 가구 증가도 포함되었다.

1인 가구 증가 현상은 단순하게 설명하기가 쉽지 않다. 독신 생활을 선호하는 유형이 있을 수 있고, 여성이든 남성이든 경제생활이 확대되면서 굳이 결혼하지 않고 살려는 경향이 높아진 추세다.

젊은 층의 1인 가구 증가 원인은 경제적인 사정으로 결혼을 포기하게 되면서 2인 가구를 형성하고 싶어도 하지 못하는 층이 많아졌기 때문이다. 이를 반영하듯 초혼 연령대가 점차 높아지고 있다. 주위에서 4-50대 싱글족을 찾는 것은 이제 어렵지 않은 일이다. SNS가 발달하면서 개인 라이프스타일이나 취향을 적극적으로 표현할 기회도 많아졌다. 뿐만 아니라 혼자 살아도 불편함이 없고, 혼자 사는 것에 대한 사회적 분위기가 예전보다 완화된 것도 하나의 원인이다.

1인 가구가 증가하면서 표면적으로 대두된 문제는 인구절벽이다. 그렇다고 해서 고대 그리스와 로마처럼 결혼하지 않으면 재산상의 불이익을 주거나, 17세기 캐나다처럼 결혼하지 않은 자녀의 부모에게 벌금을 부과할 수는 없다. 스웨덴이나 불가리아처럼 세금을 부과하는 방법으로는 1인 가구 해소와 저출산 문제를 근본적으로 해결할 수 없다. 한때, 독신세(또는 싱글세) 관련 보도로 시끄러웠던 적이 있다.

국가적으로 발 벗고 나서서 결혼과 출산을 장려하려면 주거비용, 육아비용 등 개인 부담을 해결할 수 있는 구체적인 방안이 뒷받침되어야 한다. 물론 예산이 수반되어야 하므로 말처럼 쉽지는 않을 것이다. 더 늦기 전에 1인 가구 증가에 대한 직접적인 원인과 이에 따른 구체적인 대책을 진지하게 고민해야 한다.

다문화 사회의 필수 가치, 공존

다문화 사회를 뜻하는 말 중에 샐러드 볼 소사이어티Salad Bowl Society라는 것이 있다. 1995년 미국에서 만들어진 개념으로 샐러드 재료처럼 본연의 성질과 독특한 특징을 잃지 않고 전체로서 조화되고 존중하는 사회를 말한다. 당시 미국은 유럽과 달리 여러 인종과 문화가 용광로처럼 하나로 녹아서 변질하거나 없어지는 것에 대한 반성이 일어났던 시기였다. 최근 문화를 동등한 위치에 놓고 서로의 문화를 교류하자는 문화 간Inter-culture이라는 용어와 유사한 개념이다.

현재 우리나라에 체류하는 외국인은 전체 인구의 4.9% 정도인 252만 명 정도이다. 이러한 추세라면 2021년은 5% 이상으로 예측된다. 국제결혼의 증가도 한국 사회를 다문화 사회로 만든 한 요인이지만, 우리가 원하든 원하지 않던 세계화·국제화 추세에 따라 다문화 사회는 더욱 가속화될 것이다.

이 시점에서 다양한 이질적 문화가 공존하는 방안을 모색하는 것이 건강한 국가, 건강한 사회로 발전할 수 있는 관건이다. 샐러드 볼 소사이어티가 던지는 의미와 문화의 다양성 속에서 우리가 어떤 노력을 해야 할지 고민할 시점이다.

정부에서는 다문화 사회 실현을 위해 혼혈인 및 이주자 사회통합 지원 방안 및 결혼이민자 사회 통합안을 채택했다. 병역법 개정을 통해 인종, 피부색 등이 달라도 현역으로 입대할 수 있게 하는 등 다양한 정책적인 노력을 펼쳐왔다. 하지만 타문화에 대한 배타성이 강한 우리나라에서는 다문화 1세대뿐만 아니라 다문화 2세대에 이르기까지 계속해서 다양한 문화적 갈등이 있을 것으로 예상된다.

우리는 인식하든 하지 않든 다양한 문화와 공존하면서 살아갈 수밖에 없다. 공존의 이면에는 각종 범죄와 문화 간 갈등 문제 등 다양한 그늘이 존재한다. 결국 문제는 사람의 의식에서 비롯된다. 근본적으로 문제를 해결하기 위해서는 우리의 의식 자체가 바뀌어야 한다. 나 혼자만 생각하기 이전에 이웃을 생각하지 않으면 어떤 고통이 올지 모른다. 사회가 개인주의적 성향을 띨수록 명심해야 하는 것은 '나 자신의 안위가 곧 이웃의 안위'라는 점이다. '나 하나쯤이야'하는 생각이 코로나19 종식을 지연시키는 큰 문제가 아닌가. 내가 아프면 나만 아픈 게 아니라, 남도 아프게 되는 것이다. 보이지 않게 엮인 새로운 사회의 연결 고리는 시대의 벽과 인종의 경계를 허물고 있다.

지금은 생존하고 버텨야만 겨우 견딜 수 있는 시대다. 혼란스러운 만큼 서로의 목소리에 귀 기울이고 받아들이는 관용이 필요하다. 1인 가구 증가와 다문화 사회 자체를 문제시할 수는 없다. 다만 우리 사회가 품어야 할 다양성의 측면이 많아졌다는 걸 인정해야 할 것이다. 결혼을 포기하고 비혼의 삶을 택한 혼족에게, 한국 문화가 좋아서 한국에 눌러앉은 외국인에게, 우리는 고정관념과 편견을 버려야 한다.

공존의 열쇠

함께 살아갈 건강한 사회를 유지하기 위해서는 무엇보다 의식의 변화와 감동이 중요하다. 그래야만 서로에게 기대고 마음을 터놓을 수 있다. 가령 경제적인 상황 때문에, 결혼을 포기한 1인 가구가 문제를 극복할 수 있도록 돕는 노력과 따뜻한 관심이 필요하다. 코리안 드림을 꿈꾸며 한국에 정착한 외국인에게는 현실을 살아갈 실제적인 대책도 마련되어야 한다. 풀어갈 수 있는 문제라면 머리를 맞대어 풀어야 하고, 받아들일 것은 겸허하게 받으면 된다. 사람다움을 잃지 않는 사회가 건강한 사회가 되는 지름길이기 때문이다.

03

지구는 늙어가고 있다 :
고령사회를 살아가기

바야흐로 100세 시대가 되었다. 2008년부터 노인요양장기보험이 시행되었고, 통계청 자료에 따르면 우리나라도 내년 즈음에는 인구 중 65세 노인 비율이 14%가 넘는 고령사회로 접어들 것으로 전망된다. 특히 노인 인구가 유소년(0~14세) 인구를 앞지르고, 생산 가능 인구(15~64세)가 감소세로 접어들 것이다. 지금까지가 생산 인구 보너스Demographic Bonus 상태였다면, 앞으로는 인구가 감소하면서 경제성장이 지체되는 인구 오너스Demographic Onus 상태가 될 것이다. 고령화율이 높은 것은 출산율이 낮아서인데, 영국 옥스퍼드대학교 인구문제연구소의 연구 결과에 의하면 지구상에서 첫 번째로 사라질 나라로 우리나라를 꼽는다.

최근 이민을 확대하는 나라가 늘고 있다. 이민을 장려하는 이유는 고령화에 따른 경제활동 인구 감소로 발생하는 사회문제를 대비하기 위해서이다. 출산율 하락과 고령화는 공통적인 현상이다 보니, 생산인구를 늘리기 위해 이민제도를 확대하는 것이다. 문제는 인구 개방정책을 쓰는 나라조차 일정 시간이 지나면 고령화 문제에 봉착한다는 점에 있다. 그렇다면 다가 오는 노년 사회는 어떻게 바라봐야 할까? 지구는 두 가지 측면에서 확실히 늙어가고 있다. 지구 온난화와 인구 고령화가 그것이다. 그렇다면 구체적으로 우리는 무엇을 대비하고 준비해야 할까? 살펴볼 필요가 있다.

노후파산, 절대 남의 일이 아니다

2014년 9월, 일본 NHK는 스페셜 방송으로 〈노인 표류 사회-노후파산의 현실〉을 방영했고, 방송에서 다루지 못한 일부 내용을 『노후파산』이라는 책으로 펴냈다.

오래 산다는 것은 축복이 아니라 재앙이라고 흔히들 말한다. 그래서 오래 살면 녹거장수, 유병장수, 무전상수, 무업상수와 같은 위험에 노출된다고 한다. 책이 인구통계학적으로 우리나라보다 선행하는 일본의 사례를 다루고 있다 보니 감정을 이입하면서 읽을 수밖에 없었다. 마치 앞으로 걸어갈 우리의 미래를 미리 보고 온 느낌이었다.

'설마 내가 파산하겠어?'라고 생각하던 사람들이 의도치 않게 파산하게 된다는 내용이다. 비용이 없어 병원을 멀리하는 고령자가 늘고 있고, 경제적으로 어려운 노인이 죽으면 돈 격정할 필요가 없다거나 자녀들이 무직으로 동거하면 생활비 부족 등으로 동반 파산 상태에 놓이게 된다고 생각했다. 소위 파산 예정인 노후파산 예비군도 증가하고 있다. 농촌 지역의 노후파산은 자급자족할 것이라는 생각과는 달리 농산물을 생산할수록 손해가 커져서 어려움을 겪는 상황은 도시와 다르지 않다고 지적했다.

최근 서울지방법원은 파산 선고받은 4명 가운데 1명이 60대 이상이라고 발표했다. 노인 일자리가 마땅치 않다 보니 지출되는 비용은 고정되어 있는데, 들어오는 수입이 없기 때문이다. 미국 국립보건연구소NIH는 「늙어가는 세계2015」 보고서에서 '한국은 세계에서 가장 빠른 속도로 고령화되고 있고, 2050년에 노인 인구 비중이 일본 40.1%에 이어 세계 2위인 35.9%를 기록할 것'이라고 예측했다. 이런 이야기를 듣고도 강 건너 불구경하듯이 방관만 할 수는 없는 상황이다.

노년의 삶을 결정하는 핵심은 금전과 건강이라 생각한다. 영국 철학자 버트런트 러셀Bertrand Russell은 『행복의 정복』에서 "돈이 사람을 위대하게 만들지는 못하지만, 돈 없이 당당하기는 어렵다. 돈이 사람을 행복하게 만들지는 못하지만, 돈 없이 행복하기는 어렵다."고 했다. 돈은 필요악이다. 돈이 행복의 척도는 아니지만, 어느 정도 부족함은 없어야 한다는 말이다. 우스갯소리로 돈 없고 건강이 나쁘면 설상가상형, 돈 있고 건강 안 좋으면 천만다행형이라는 말도 생겨났다.

노후파산을 방지하기 위해서는 노력이 있어야 하고, 의식적인 소비와 계획된 소비로 저축하는 습관을 들여야 한다. 남을 의식하거나 체면을 앞세우는 소비보다는 실속 있는 합리적 소비를 해야 한다. 『노후파산』은 "궁지에 몰린 고령자들이 구원 받는 사회가 실현된다면, 늙어간다는 공포나 늙어가는 것에 대한 죄책감이 조금은 줄어들지도 모른다."라고 했다. 우리나라도 급증하는 노령화 추세에 맞게 노후를 걱정 없이 맞을 수 있도록 자연스러운 분위기를 조성하고, 각종 다양한 지원 대책을 미리 준비할 필요가 있다.

준비 없는 장수는 축복이 아니다. 대부분 준비 없이 노후를

바야흐로 Old Age 시대가 도래하였다. 우리는 다가올 고령화 사회를 대비할 실제적인 준비가 되어있어야 한다.

1부 변한다는 것만이 확실하다

맞고 있고, 노인 빈곤율 상승 속도도 선진국에 비해 제일 빠르다. 자원이 부족한 우리나라는 수출이 항상 잘 되리라 확신할 수 없다. 노인 복지 예산을 무한정 늘릴 수 없는 상황에서 '노후는 스스로 책임진다.'라는 생각을 해야 한다. 나이가 들어서도 현역으로 생활할 수 있는 기반을 만들고, 필요한 기술을 배우는 노력을 한 해라도 젊었을 때 할 필요가 있다. 미래의 모습은 현재 생각의 결정체라는 말이 있듯이 하나의 물음을 잡고 미래를 고민할 필요가 있다.

시장규칙 아닌 사회규범 '부모 수발'

2008년부터 노인장기요양보험, 일명 '수발보험'이 시행되고 있다. 국민에게 발생한 사회적 위험을 보험방식으로 대처함으로써 국민의 건강과 소득을 보장하는 연금보험, 산업재해보상보험, 고용보험, 건강보험과 함께 5대 사회보험 중 하나다. 보험 적용이 가능한 대상은 장기요양이 필요한 65세 이상 노인 및 치매 등 노인성 질병을 앓는 65세 미만자이다.

우리나라의 경우 고령사회 진입을 앞둔 시점에서 수급 대상자는 지속적으로 증가할 것이다. 노인장기요양보험은 수발로 인한 가족의 요양 부담을 덜고, 가족 간 갈등을 해소하며 최소 비용으로 삶의 질을 향상하는 측면에서 긍정적으로 기능을 하고 있다. 필요하면 집에서뿐만 아니라 요양원 같은 시설에서

서비스를 받을 수도 있으니 좋은 제도인 것은 틀림없다.

전통적으로 부모의 병수발은 1차적으로 가족의 몫이었다. 하지만 재가 서비스는 본인 부담 15%, 시설서비스는 본인 부담 20%만 부담하면 나머지 비용은 보험 처리를 해주는 규칙이 생기면서 요양 시설에 보내는 것만으로도 도리를 다했다고 여길 수 있는 핑곗거리가 생겼다. 이는 부모 수발에 대한 공동체적인 의무를 위협하는 것이다. 경제적 관계가 사회적 관계를 깨뜨릴 우려가 있기 때문이다.

미국 듀크대학교 행동경제학과 댄 애리얼리Dan Ariely 교수의 저서 『상식 밖의 경제학』에 따르면 부모들이 탁아소에서 시간을 넘겨 아이를 데려가는 경우 미안한 마음 때문에 제시간에 아이를 데려가려고 노력했다. 늦게 데려가는 경우 벌금을 부과하는 것으로 규칙을 바꿨더니 오히려 늦게 데려가는 횟수가 증가한 것으로 나타났다.

제시간에 데려가는 것이 사회적 합의이자 사회규범으로 여길 때는 시간을 지키려 노력했다. 그런데 벌금이라는 재화가 개입되면서 성격이 시장규칙으로 바뀌었고, 돈만 내면 늦어도 된다는 생각에 늦은 것에 대한 죄책감이나 미안한 마음은 사라져버렸다. 이처럼 사람을 움직이는 힘에는 사회규범과 시장규칙이 있다. 부모를 수발하는 의무가 사회규범으로 인식될 때와 노인장기요양보험이라는 제도를 통해 요양보험료를 내면 시설에 보내거나 요양보호사를 통해 집에서 간호받게 할 수 있을 때' 사람의 인식은 확연히 다르다. 사회규범에 시장규칙이 개입하면 사회적 관계가 깨질 수 있다.

개인이 감당할 수 없는 각종 어려움을 국가와 사회가 나서서 해결하려는 노력은 필요하다. 하지만 이에 비례하여 개인의 도덕적인 의무감과 같은 사회적 규범은 강화되어야 한다. 인간의 삶은 사회 속에서만 존재하기 때문이다. 그렇다면 요즘같이 어려운 시기, 서로가 건강하게 상생하기 위해서 우리가 취해야 할 태도는 무엇일까? 다음 사례를 통해 나눔과 배려에 대해 다시 한 번 생각해볼 수 있을 것이다.

함께 살아가는 방법: 사람다움을 잃지 않기

경주 교동에는 중요민속자료 제27호로 지정된 최씨 고택이 있다. 최 부자 집은 12대 300여 년 동안을 만석꾼으로 내려온 부자 집안으로도 유명하지만, 한국형 노블레스 오블리주 특권 계층의 책임을 실천한 가문으로 더욱 유명하다. 사회의 양극화 해소를 위한 모범 사례로 제시되기도 하고, 나눔의 정신을 배울 수 있다 하여 많은 사람들이 찾고 있다.

최 부자 집의 집안을 다스리는 지침을 보면 '재산은 1년에 만석 이상을 모으지 말라'는 것이 있다. 1만 석이 넘지 않게 한 이유는 지나친 욕심이 화를 부른다고 생각했기 때문이었다. '사방 100리 안에 굶어 죽는 사람이 없게 하라'는 가르침을 통해 흉년으로 먹을 것이 없을 때면 곳간을 열어 가난한 사람을 도왔다. '흉년기는 땅을 늘리지 말라'고 하여 땅을 싸게 파는 사람들의 원통이 없게 하였다 하니 모든 것이 이웃에 대한 배려였다.

한편 전남 구례의 굴뚝 낮은 고택 운조루가 있다. 운조루 안채와 사랑채에는 곡식이 다섯 섬 들어가는 커다란 목독나무로 만든 뒤주가 있었는데, 겉에는 누구라도 쌀독을 열 수 있다는 뜻의 타인능해他人能解를 새겼다. 가져가는 사람을 배려하기 위해 인적이 드문 곳에 목독을 놓았다. 이보다 더 이웃을 배려하는 모습은 운조루의 굴뚝에서 찾을 수 있다. 이 굴뚝은 숨겨놓은 듯 눈에 보이지 않는 곳에 있다. 밥 짓는 연기가 피어올라 끼니를 거르는 사람들이 이 집의 굴뚝 연기를 보면서 소외감을 느끼지 않도록 배려한 것이었다.

미국 국립보건원 연구에 따르면 '남을 위해 자신의 이익을 희생하는 이타심이 인간의 본성일 수 있다는 연구 결과가 발표된 적이 있다. 돈을 자신이 쓸 것인지 다른 곳에 기부할 것인지 선택하도록 했더니 기부를 택한 실험 참가자의 뇌에서 쾌감에 반응하는 것과 같은 부위가 활성화되었다. 이는 이타심이 생물학적 근거를 지니고 있다는 점이 입증된 것으로 인간의 이타심은 도덕적 양심이 아니라, 뇌에 기본적으로 내장된 성질이란 것을 보여주는 결과다.

요즘은 개인은 물론 기업도 기업시민으로 책임과 의무를 다하려 노력하고 있다. 기업의 부가적인 활동이 아니라 기업 본연의 경영 활동인 투자활동으로 보고 있기 때문이다. 세상의 불평등을 완화하고, 사회의 빈곤을 줄이고자 창조적 자본주의,

깨어있는 자본주의 그리고 착한 자본주의라는 말을 쓴다.

이윤추구 활동만 추구하던 기업이 마케팅 차원에서 접근하는 경우도 있다. 언론 보도를 위해 기부를 활용하기도 한다. 기부 받는 입장에서는 이렇게 해서라도 기부를 받아서 좋다는 얘기를 많이 한다. 독일의 거부 페터 크레머 Peter Cremer 는 사적 기부는 기부금 용도의 소수부자들이 정하게 된다는 점과 시혜적 성격이 강해 신자유주의 체제를 보다 강화하는 장치로 쓰일 것이라고 비판했지만, 이렇게라도 나눔과 배려문화가 확산될 수 있다면 환영할 일이다.

앞서 한국형 부자의 사례를 들었지만, 요즘도 얼굴 없는 천사가 화제 되고 있고, 남들 모르게 선행하시는 분들도 많다. 시대만 바뀌었을 뿐, 이웃을 사랑하는 정신은 유전자 속에 살아 있다. 앞으로 나눔과 배려문화가 확산되어 소외당하는 사람들이 없었으면 한다.

04

절망에 빠져있는 젊음, 밀레니얼 세대

    밀레니얼 세대Millenial Generation란 1980년대 초부터 2000년대 초 사이에 출생한 세대를 일컫는 말이다. 이들은 전 세대에 비해 개인적이며 소셜네트워킹 서비스SNS에 익숙하다는 평가를 받고 있다. 의사 표현이 분명하고 감성을 소비하며 현재를 살 줄 아는 이 세대는 가장 중요한 생산인구이기도 하다. 그러나 취업 문은 하늘에 별 따기이며, 대학을 졸업하더라도 제때 일자리를 찾지 못하는 극심한 취업난과 경제난을 겪고 있다. 사회인으로서의 출발이 늦다 보니 결혼을 포기하는 경우도 많아졌고, 급기야 '삼포 세대'라는 말까지 생겨났다. 그보다 더욱 중요한 건 꿈을 잃은 청춘이라는 것이다. 뭐든 도전할 수 있는 나이임에도 도전 앞에 머뭇거릴 수 밖에 없고, 설령 도전한다 하더라도 다시 일어서기 힘들다고 생각한다. 나 자신에 대해서 잘 모르고 방황하는 시간도 많다. 그러나 이것이 과연 이들만의 문제일까. 밀레니얼 세대의 특징은 실은 그들이 보냈던 청소년 시기에서 비롯됐다. 그렇다면 그들을 길러 낸 우리 사회의 문제를 돌아보아야 한다.

흔히 청소년은 미래의 희망이라고 이야기하지만, 우리는 청소년에 대해 잘 모른다. 인구의 17%를 차지하는, 질풍노도의 시기라는 성장통을 겪는 청소년 시기이다. 청소년기는 데이비드 엘킨트David Elkind가 말한 것처럼 항상 자신을 주시하고 있다고 여기는 '상상적 청중'과 자신을 특별한 존재로 여기는 '개인적 우화'라는 환상을 갖는 시기이기도 하다.

절망염에 걸리지 않게

청소년을 생각하면 처음 떠오르는 것은 스트레스다. 청소년은 공부로 인해 정작 진지하게 장래를 꿈꿔 볼 시간을 갖지 못할 정도로 스트레스를 받는다. 실제 주당 학습시간을 보면 OECD 회원국 평균33시간보다 1.5배나 긴 49시간 정도다. 지금 청소년들은 미래의 행복을 위해 지금의 행복을 미루고 살아가고 있다. 많은 부모들이 마시멜로 실험을 인용하며, 만족 지연 능력이 높아야 좋은 결과가 있다고 설명하며 아이들을 안심시키곤 한다. 청소년들은 다시 오지 않을 이 순간을 희생하며 불투명한 미래의 행복을 위해 현재를 살고 있다. 대학 가면 행복할 줄 알았는데, 취업, 결혼 등 참고 견뎌야 하는 그 끝은 보이질 않는다.

만족 지연과 관련된 유명한 마시멜로 실험이 있다. 4세 정도의 아이들 대상으로 한 실험에서 주어진 마시멜로를 15분간 먹지 않고 참으면 1개를 더 준다는 것인데, 성장 후 그 유혹을 이겨낸 학생들은 유혹을 이겨내지 못한 아이들보다 미국 수학 능력시험인 SAT 점수가 210점 더 높았다는 내용이다.

그래서 많은 사람들은 지금 당장 행복을 미루고 만족을 장래로 미루는 능력은 IQ와 같은 능력보다 더 청소년의 성공을 진단할 수 있는 강력한 단서라고 여기는 경향이 많다. 이 실험의 맹점은 부모의 학력 수준 등이 아이들의 사회적 성공을 좌우한 것이었는데, 단지 15분만 참으면 마시멜로가 하나 더 주어지는 등 행복이 바로 실현된다는 것. 그렇다면 실제 삶에서는 얼마를 견디고, 언제까지 만족을 미뤄야 행복이 주어지는 것일까.

한편 자기 심리학의 창시자 하인즈 코허트Heinz Kohut는 '최적의 좌절optimal frustration'이 인간을 성숙시킨다고 했다. 어느 정도 좌절을 느끼면서 자라야 사신을 성상시키고 어른아이가 아닌 진정한 어른으로 성장할 수 있다.

요즘 청소년들은 전에 없이 정신적 지주 혹은 멘토를 찾는다. 희망이 없는 상태에서 일어나는 안 좋은 일들의 원인은 절망감으로 이어진다. 수용소처럼 희망이 없는 상태에서 원인 없이 사망하는 경우 절망염絶望炎이라 진단한다. 누구보다 힘든 청소년 시기. 물질적인 선물보다는 따뜻한 말 한마디 더 해주는 것이 고독하고 힘든 터널을 지나는 아이들에게 큰 힘이 되지 않을까.

청년들의 삶을 응원하며

사회적인 이슈로 가장 크게 부각되는 것이 '청년실업'이다. 이와 관련해 'N포 세대'라는 말도 생겨났고, 청년들의 입장에서 우리나라 상황이 지옥hell과 같다 하여 '헬조선'이란 말도 유행하고 있다. 이러한 가운데 시선을 끄는 한 연구 결과가 있었다. 계층 상승 사다리에 대한 국민 인식 조사 결과인데 국 민의 81%가 노력해도 계층 상승 가능성이 낮다고 대답했다 는 내용이다. 한 마디로 국민 대부분이 노력해 봤자 신분 상승이 되지 않는다는 의욕의 상실 상태에 놓여 있다고 볼 수 있다.

실제로 우리 사회에서는 입찰이든, 계약이든 알음알음으로 비공식적인 방법을 통해 성사되는 경우가 많다. 성공한 사람들은 자신의 노력도 있었지만, 주위의 도움이 결정적인 경우도 많았다. 청년 실업 문제는 괜찮은 직업decent job을 향한 무한경쟁에 기인하는 부분도 있다. 사실상 중소기업은 사람이 부족하다고 한다. 사회가 불안정하다 보니 안정적인 직장을 찾고자 하는 욕구가 커졌고, 그런 과정에서 공기업이나 대기업 중견기업에만 편중되거나 전문직에 집중되고 있다. 실제 우리나라의 경우 일할 의지가 없고 교육이나 훈련을 받지도 않는 니트족 비중이 OECD 평균보다 훨씬 높다.

해답은 문제 속에 들어있는 경우가 많다. 사회에 불합리한 요소가 많더라도 먼저 자신을 경영하는 관점에서 자신만의 차별화 포인트를 만드는 노력을 해야 한다. 앞으로의 사회는 더 노골적으로 인적 자본의 증권화를 요구할 것이다. 사람이 상품이 되고 마케팅 대상이 되는 것이다. 공무원이나 대기업 취업에만 집중하기보다는 중소기업에서 일을 배우고 활로를 찾는 노력도 필요하다. 일을 잘하기 위해서는 다양한 일의 경험이 있어야만 가능하기 때문이다.

그러나 무엇보다 가장 중요한 것은 자신이 하고 싶은 일을 해야 한다는 것이다. 자신을 만드는 것은 나 자신뿐이다. 철학자 임마누엘 칸트Immanuel Kant는 "나는 해야 한다. 그러므로 할 수 있다."고 했다. 이것이야말로 요즘 같은 힘들어하는 청년들이 많은 시기일수록 스스로 가져야 할 마음가짐이다. 그런 후에 하고 싶은 일을 한다면 꼭 이룰 수 있다는 것이라 확신한다.

나 자신을 잘 알리려면 남의 시선에 의지하기보다 나다움의 가치를 챙겨야 한다. 내면의 소리를 듣기 위해선 매 순간 집중하는 것이 필요하다. 나를 움직이게 하는 열정이 있어야만 비로소 가능하다. 끊임없는 자아 성찰을 통해 나 자신과 끊임없는 대화를 이어가 보자. 언제나 그렇듯 해답은 나 자신에게 있다.

그러나 무엇보다 가장 중요한 것은
자신이 '하고 싶은 일'을
해야 한다는 것이다.

자신을 만드는 것은 나 자신뿐이다.

철학자 임마누엘 칸트는
"나는 해야 한다.
그러므로 할 수 있다."고 했다.

이것이야말로 요즘 같은 힘들어하는
청년들이 많은 시기일수록
스스로 가져야 할 마음가짐이다.

05

당신은 너무
빨리 달리고 있다

'한강의 기적'이 없었다면, 자랑스러운 '한류 열풍' 이 없었다면 지금의 한국은 없을 것이다. 그러나 급성장을 거듭하다 보니 시행착오도 많이 겪었고 힘겨운 시간을 보내기도 했다.

미국 생태학자 겸 철학자 개릿 하딘 Garrett Hardin 은 1968년 사이언스 Science 지에 실린 논문에서 공유지의 희귀한 공유 자원은 공동의 강제적 규칙이 없다면 많은 이들의 무임승차 때문에 결국 파괴된다는 사실을 지적했다. 이른바 '공유지의 비극' 이다. 마을 공동으로 이용하는 주인 없는 초지가 있고, 몇몇 사람이 개인의 이익을 챙기기 위해 소 떼를 초지에 풀면 누구나 유사한 행동을 하게 돼 결국 초지는 망가진다. 하딘은 공유 자원은 자유롭게 이용해야 한다고 믿는 사회에서 각 개인이 자신의 최대 이익만을 추구할 때 도달하는 곳이 바로 파멸이다.

어쩔 수 없는 공유지의 비극 : 미세먼지와 코로나19

전 국민이 미세먼지로 고통스러운 시간을 보내고 있다. 그것도 모자라 코로나19 바이러스로 인해 지구촌이 몸살을 앓고 있다. 비상저감조치 발령이 이어지고, 다양한 고육지책을 쏟아내고 있지만 뚜렷한 해결방안은 아닌 것 같다. 영공은 국가의 소유이나 막상 영공을 넘나드는 공기는 주인이 없다. 그러다 보니 공유지의 비극이 공기 오염이라는 형태로 나타나고 있다. 대부분 나라는 자국의 환경오염을 방지하기 위해 바람이 부는 반대 방향의 지역에 발전소나 공장을 건설한다. 중국이나 우리나라도 예외는 아니다. 특히 겨울철에는 개발도상국일수록 화석연료를 사용하기 때문에 환경오염은 더욱 심해진다.

하딘은 공유지의 비극을 막는 해결책으로 사유화 또는 정부 개입이라는 두 가지 방법을 제시했다. 그렇다고 흘러 다니는 공기를 사유화하기는 쉽지 않다. 따라서 범세계적으로 오염원 제거에 대한 기준을 정하고 상호 협력해 줄이려는 노력할 수밖에 없다. 환경오염의 가해국은 언제든 피해국이 될 수 있다는 사실을 인식해야 한다.

이 시점에서 우리는 '깨진 유리창 법칙'을 경계해야 한다. 유리창이 깨진 채 오랫동안 방치돼 있으면 누구나 그 창문을 깨고 싶은 충동을 느낀다. 홍수로 강이 불어났을 때 오폐수를 무단 배출한 사례들이 있었다. 마찬가지로 미세먼지 등으로 대기가 안개처럼 뿌연 상황에서 매연을 방출하는 차량이 더 당당하게 거리를 운행하고 공장에서 더 많은 오염원을 공중으로 배출하는 일은 없어야 한다.

공기나 물은 무한하고 자유롭게 이용할 수 있는 자원이 아님을 인식하는 요즘이다. 물을 사먹듯 공기도 구입하는 시대가 도래했다. 자연은 인간만이 소유할 수 없다. 하딘의 말처럼 공유 자원은 자유롭게 이용해야 한다고 믿는 사회에서 각 개인이나 국가가 자신의 최대 이익만을 추구할 때 도달하는 곳이 파멸되지 않기를 바랄 뿐이다.

지금도 빨리 달리고 있지 않은가?

2006년 영국 허트포드셔대학 리차드 와이즈만Richard Wiseman 교수는 세계 주요 도시의 보행 속도를 측정하는 실험을 진행했다. 1994년 캘리포니아주립대학 로버트 레빈Robert Levin 교수의 실험을 반복한 것이었다. 레빈 교수는 세계 주요 도시 보행자의 걷는 속도가 다른 행동지표와 연관되어 있다고 하면서 사람이 빨리 움직일수록 타인을 도와줄 가능성이 적어진다. 조사 결과 평균 걷는 속도가 10년 전보다 10% 빨라졌다고 했다. 특히 경제 성장기 빠른 도시 보행자들의 걸음 속도가 빨랐다.

아쉽게도 우리나라는 실험국에 포함되지 않았지만, 전쟁 이후 경제성장 속도를 보면 다른 나라와 비교할 수 없을 정도로 빨라졌으리라 미루어 짐작할 수 있다. 우리 사회가 와이즈만 교수의 말처럼 시간을 활동적인 것에 써야 한다는 강박관념이 겉으로 보이는, 그리고 겉으로 드러나는 외양에만 쏟아 온 것은 아닌지 되돌아봐야 한다.

세월호 참사를 보면서 참으로 어른이 부끄러운 사회가 되었고, 급박한 상황에서 다른 사람을 먼저 생각했다는 아이들의 이야기를 들으면서 고개를 들 수 없었다. 시간을 거꾸로 돌릴 수만 있으면 좋겠다. 버려야 할 것은 위기의 상황에서 자신의 위치를 망각해버리는 마음일 것인데 배를 버리고 먼저 탈출한 선장 등을 보면서 우리 사회 각 분야에서 누구를 믿고 따라야 할지 의문이 든다.

선박의 크기만 키워왔지 정작 시스템을 움직이는 사람의 마음을 키우는 데는 소홀하지 않았나 하는 생각이다. 슬픔이 분노로 바뀌고 전 국민이 마음 아파한 적이 또 있었던가. 무심하게도 계절은 푸르지만 이런 푸른 계절을 함께할 아이들이 없다는 마음은 더더욱 아플 것이다.

사고 시 안전에 대한 교육도 제대로 하지 않았다는 이야기도 들리지만 우리가 생각해야 할 부분은 매뉴얼만이 만능은 아니라는 사실이다. 이번 참사처럼 한 번도 없었던 낯선 상황이고, 특히 선장이라는 책임져야 할 사람이 없어진 상황에서 매뉴얼은 원천적으로 무용지물이 될 수밖에 없다.

해외 언론에서도 배를 버린 선장을 해운사의 최대 수치라며 비판하고 있다. 훌륭한 매뉴얼이 있었다 할지라도 선장같이 주요한 역할을 할 대상이 제대로 역할 해주지 않은 상황에서는 제대로 된 대응을 할 수 없다. 일반적으로 매뉴얼은 역할 구조를 갖고 있지만, 세월호처럼 선장이 없어진 상황에서는 각자의 역할을 제대로 수행할 수 없게 된다.

지금 우리 사회는 어디서부터, 무엇부터 만들어나가야 할지 혼란스럽다. 그래서 이번 사고를 교훈 삼아 많은 것을 점검해야 한다. 우리는 너무나 빨리 달려가고 있다. 교육도 큰 것이 작은 것을 잡아먹는 게 아니라 빠른 것이 느린 것을 잡아먹는다고 가르치고 있다. 이젠 외양이 아닌 내면의 시스템을 다시 만드는 노력이 필요하다. 전 국민이 한마음으로 아픔을 같이하고 슬픔을 나누어야 한다.

"당신 인생의 10%는
당신에게 일어나는 사건들로 결정된다.
나머지 인생의 90%는
당신이 어떻게 반응하느냐에 따라 결정된다."

스티븐 코비

2장

인간의
행복

06

관계중독에
빠져 있다

현대사회에서 가장 어려운 점은 '소통'과 '인간관계'일 것이다. 어쩌면 직장인의 과반수가 문제라고 꼽을 만큼 중요한 이슈다. 그러나 우리는 영리하게 해내고 있을까? 오히려 휘둘리고 있을까? 상처받을 것을 알면서도 왜 우리는 꾸준하게 연결되고 싶어할까?

절대 잊지 말아야 할 것 : 인간관계

요즘은 몇 년 전부터 필수로 인식되던 스펙specification의 비중을 줄이는 추세다. 이력서에서 자격증과 어학 점수 기재를 제외하는 사례가 늘고, 공무원 시험에서 경력 · 나이 · 학력 제한이 없어졌다. 바람직한 방향이라고 생각하지만, 우려하는 목소리도 적지 않다. 객관적인 기준이 없어짐에 따라 사회에 만연

된 학연·혈연·지연 등 연緣에 따라 채용이 좌우될까 싶어서다. 입사 후 인사제도에도 변화가 있다. 승진시험을 보던 추세에서 종합적인 인사평가를 통해 승진 대상을 선별하는 방식으로 바뀌고 있다. 시험을 통해 승진을 시키던 것에서 종합적인 평가를 통해 승진을 시키는 것인데, 객관적이고 구체적인 평가 기준이 없다면 직원들의 불만은 늘어나고, 직원의 사기는 떨어질 수밖에 없다.

우리는 끊임없이 관계망을 만들며 살아간다. 우리나라는 학교 동기, 군대 동기, 입사 동기 그리고 각종 모임마다 별도 모임을 결성하는 등 유난히 관계를 중시한다. 어떻게 보면 불안한 심리가 사회적으로 표출되어 나타나고 있는 현상으로 판단된다. 러시아 동물학자였던 케슬러Kessler 교수는 "생물의 종이 계속 진화하기 위해서는 상호 협력의 법칙이 투쟁의 법칙보다 더 중요하다."고 했고, 부족본능가설에 따르면 '인간 집단은 늘 이웃과 경쟁 관계에 있었지만, 경쟁에서 대개 승리하는 쪽은 가족을 뛰어넘어 더 큰 규모로 협동하고 단결한 집단이었다'고 했다. 필연적으로 서로 얽히며 공존할 수밖에 없었다. 그래야 생존하기가 진화론적으로 수월했기 때문이다.

그러나 자본주의 사회에서는 돈이 어느 정도 필요 욕구를 해소해 주고 있지만 갈수록 사람의 외로움은 커져만 가는 것 같다. 『행복의 기원』 저자 서은국 교수는 행복의 기준으로 돈이 아닌 생존을 위한 음식 그리고 사람과 같이 있으려는 외향성을 들었다. 한편 행복한 사람들과 불행하다고 느끼는 사람들과 시간 소비 행태를 비교한 결과, 행복한 사람들은 하루의 약 72% 시간을 다른 이들과 보내지만 그렇지 않은 사람들은 48%에 불과하다는 연구 결과를 소개한 바 있다.

여하튼 행복을 위해서든 생존을 위해서든 관계망 형성은 필수적인 요소인 것 같다. 특히 우리나라 사회처럼 관계를 요구하는 민족이 또 있을까? 사회 트렌드가 관계망 형성에 있다면 관계를 맺어가는 부분에도 열정을 쏟아야 한다.

인류학자 로빈 던바Robin Dunbar는 한 사람이 인맥을 유지할 수 있는 사람의 관계가 최대 150명이라고 하는 던바의 수Robin Dunbar's Number라는 개념을 만들어 냈는데, 사람의 두뇌는 150명 정도가 넘어서면 관계의 관리 한계를 넘어선다고 했지만, 요즘은 이러한 개념이 무의미해졌다. 이런 모임, 저런 모임 등 셀 수 없는 모임이 그물망처럼 엮여가며 인맥人脈을 형성하고, 인맥이 또 다른 사회를 만들어가고 있다.

휴대폰 전화번호 저장 건수는 늘어나지만 진정 깊은 관계는 유지되지 않는 것이 대부분이다. 윤선원의 『관계 정리가 힘이다』를 보면 지나친 인맥 확장이 통제 불가능한 관리에 힘쓰게 되고, 진짜 삶에서 중요한 사람들은 놓치거나 중요한 시간을 버리는 우를 범할 수 있다고 경고하고 있다. 요즘은 관계의 과잉시대고 관계중독 시대다. 이렇게 엮고 저렇게 엮다 보니 진정한 모임보다는 모임을 위한 모임으로 결성되는 사례를 많이 보게 된다. 사람은 외로운 존재인 것은 맞다. 그래서 누군가에게 의지하고, 늙어서도 재財테크 외에 인人테크에도 몰두한다.

나이가 들면서 의존하고, 더 끈끈한 관계를 유지하고 싶어지는 것은 본능이다. 그만큼 약해진다는 말이다. 공자는 무신불립無信不立이라 하여 신뢰가 없으면 설 수 없다고 했다. 제임스 콜만James Collman도 "신뢰는 물적·인적자본과 별도의 사회자본social capital이다."라고 했다. 사회 자본이 쌓일수록 진정한 의미의 공동체로 발전하리라 여겨진다.

◆ **피자 두 판 규칙**Two Pizza Rule
미국 IT업계에서 스티브 잡스의 뒤를 이을 인물로 꼽히는 아마존의 CEO 제프 베조스 Jeff Bezos가 만든 말로, 그의 경영 철학인 '속도 중심 조작론'을 잘 나타내고 있다. 피자 두 판을 한 끼로 먹을 수 있는 6~10명이 최적의 팀 크기다.

◆ **줄탁동시**啐啄同時
알 속의 병아리가 껍질을 깨뜨리고 나오기 위하여 껍질 안에서 쪼아야 하고 밖에서도 쪼아 깨뜨려야 한다는 뜻으로 서로 도와야 한다는 의미

◆ 은행 계좌처럼 '감정계좌'라는 것이 있다. 사람과의 관계에서 좋은 감정을 갖게 만들면 좋은 감정이 쌓이고, 나쁜 감정을 쌓으면 나쁜 감정이 쌓여 좋지 않은 관계로 유지된다. 좋은 감정이 잔고에 쌓이도록 해야 한다.

생존 사회 필살기 : 스트레스 해소법

어떤 상황에서건 함께 모여 일할 수밖에 없고, 인간관계는 지속적으로 헤쳐가야 할 부분이다. 어쩌면 관계 불안은 관계가 끊어지거나 멀어졌을 때 감당할 수 없는 외로움을 느껴서가 아닐까 생각하게 된다. 그로 인해 너무 익숙하게 찾아오는 것이 걱정과 두려움이다. 생존 사회에서 이러한 심리적인 감정을 어떻게 직면하고 다룰 수 있을지 경험하는 것은 아주 중요한 부분이다.

심리학자인 어니 젤린스키Ernie J. Zelinski는 『느리게 사는 즐거움』이란 책에서 우리의 걱정 중 40%는 절대로 일어나지 않은 사건들에 대한 걱정, 30%는 이미 일어난 사건들에 대한 걱정, 22%는 사소한 것들에 대한 걱정, 4%는 우리가 바꿀 수 없는 사건들에 대한 걱정, 마지막으로 4%만이 해결될 수도 있는 것들에 대한 걱정이라고 했다.

우리는 무슨 일이 닥치거나 안 좋은 예감이 들 때면 으레 불안하고 초조해진다. 심리적으로 안정이 되지 않고 맥박이 뛴다. 이러한 생물학적 작용은 어쩌면 진화의 결과라고 판단된다. 티베트 속담에는 "걱정을 해서 걱정이 없어지면 걱정이 없겠네."라는 말이 있을 정도니, 사람이 살아가는 동안 얼마나 많은 걱정과 함께하는 것인가. 불안한 감정은 왜 생기는 것일까? 분명 우리 몸의 반응은 인간이 더 유리하게 진화하고 생존하는 데 필요한 반응이라고 판단된다. 생존에 필요한 정서적 반응인 것이다. 슬퍼서 울고 나면 마음이 안정되는 것처럼, 불안해지면 뭔가를 준비하고 더 노력함으로써 안정을 찾으려 한다. 또한 적대적인 환경에서도 사전에 대비토록 하여 인간이 생존할 수 있도록 하는 순기능도 한다. 상황과 관계없이 불안한 마음이 없다면 미래에 대한 준비를 전혀 하지 않을 것이다.

그러나 불안은 삶을 힘들게 만들 뿐만 아니라 일상의 행복까지 빼앗아 간다. 불안한 감정은 스트레스로 인한 면역력 저하로 이어져 각종 질병에 노출될 수 있다. 스스로 스트레스를 관리할 수 있는 능력을 길러야 한다. 스트레스가 발생하면 활성산소가 몸 속에서 생기는데, 이때 나쁜 활성산소를 중화해 줄 수 있는 것이 과일, 채소 또는 휴식이다.

사람은 하루에 5만 가지의 생각을 하는데, 그중 96%가 쓸데없는 생각이라고 한다. 그리고 쓸데없는 생각 중 75%가 부정적인 생각이라고 하니 인류의 역사는 불안의 역사라 할 수 있다. 혼자만의 생각에 갇혀서 매몰되기보다는 현실 가능한 부분에 초점을 맞추어 걱정과 두려움을 몰아내고, 내면의 스트레스를 다루는 법을 일상에서 계속 훈련해야할 것이다.

그러나 불안은
삶을 힘들게 만들 뿐만 아니라
일상의 행복까지 빼앗아 간다.

불안한 감정은 스트레스로 인한
면역력 저하로 이어져
각종 질병에 노출될 수 있다.

스스로 스트레스를
관리할 수 있는 능력을 길러야 한다.

07

마음껏 우는
사회가 되었으면

    남자는 태어날 때, 부모님 돌아가셨을 때, 나라가 망했을 때 등 세 번만 울어야 한다는 말이 있다. 우리나라 남성들은 남자는 울면 안 된다고 감정을 억압당해왔다. 이렇게 학습되는 조건화_{conditioning} 과정을 밟으면서 이것은 남성의 겸양으로 인식되었다.

    화장실에는 '남자가 흘리지 말아야 할 것은 눈물만이 아니다'라는 문구도 있다. 요즘은 파리를 그려 넣거나 '당신의 총은 장총이 아닙니다. 가까이 와서 쏘세요'라는 문구로 부드럽게 행동을 유도하는 넛지 효과_{Nudge Effect}를 기대하기도 한다. 여하튼 남자는 이렇게 눈물도 또 그것도(?) 흘리면 안 된다고 은연중에 학습되고 있다. 눈물 흘리는 남자는 찌질이 정도로 인식하고 있고, 눈물을 보이는 것이 남자답지 못한 행동으로 여겨지면서 울지 못하는 사회 분위기가 만들어졌다.

함께 울었으면 합니다

눈물의 종류를 보면 안구를 마르지 않게 하는 기초 눈물, 눈이 매울 때 자동적으로 나오는 반사성 눈물, 뇌에서 눈물샘을 자극하여 나오는 감정성 눈물로 나눌 수 있다. 웃음이 바이러스에 감염된 세포나 암세포를 직접 파괴하는 면역세포 NK Natural Killer를 생성하듯이 울음도 부교감신경을 안정적으로 만들어 면역력을 강화하여 NK세포 활성화를 돕는다고 한다. 암 치료에 웃음치료와 울음치료를 도입한 대암클리닉 이병욱 원장은 울음이 웃음보다 치료에 더 효과적이라고 한다. 그러면서 "웃음이 가방비와 파도라면, 울음은 소낙비와 해일이다."라는 말을 하면서 "울음은 최고의 화장이다, 울어야 할 때 울지 않으면 다른 장기臟器가 운다."고 하면서 자기의 감정을 솔직

하게 표현하라고 한다.

울음은 마음을 안정시키는 효과가 있다. 누구나 경험했듯이 실컷 울고 나면 마음이 편안하다. 울음으로써 신체가 균형을 찾

울지 않는다는 건 삶의 절반도 헤아릴 수 없다는 고통이다. 사람으로 태어나 울고 웃고 진심으로 소통할 수 있는 게 복이다.

아간다고 볼 수 있다. 전문가들은 눈물을 흘릴 때면 엔도르핀 Endorphin과 같은 신경전달물질이 분비돼 면역력을 높여 줄 뿐만 아니라 스트레스를 받으면 분비되는 코르티솔 Cortisol 같은 호르몬이 눈물을 통해 배출되기 때문에 마음이 안정되는 효과가 있다고 한다.

2011년 월스트리트 저널에 소개된 글이다. 캘리포니아 대학의 톰 루츠Tom Lutz 교수는 "남성이 울지 않게 된 원인은 19세기 말까지 거슬러 올라가는데, 주로 남성이었던 공장 노동자의 생산성이 떨어지지 않도록 감정에 빠져드는 것을 방해하면서부터다." 라고 했다. 그리고 "남자의 눈물은 정상적인 것이지만, 울지 않는 남자는 최근에 일어난 역사적인 비정상이다." 라고도 했다. 그렇다면 여자는 왜 남자보다 잘 우는가.「여자의 눈물 Tears of a woman」이라는 글을 본 적이 있다. 왜 엄마가 우는지를 어린아이가 엄마와 아빠에 묻고 답하는 형식으로 되어 있는 글이다.

"엄마! 왜 우세요?"

"나는 여자니까. 결코 이해할 수 없을 거야."

"아빠! 엄마는 왜 우시는 줄 아세요?"

"여자는 이유 없이 운단다."

그것이 남자가 묻는 아이에게 해줄 수 있는 전부였다. 이 아이는 커서 신神에게 묻는다.

"신이시여! 왜 여자는 그렇게 쉽게 우나요?"

"여자는 생명을 낳고, 남들이 다 포기할 때 포기하지 않게 하는 힘을 줬단다. 그리고 자녀들은 무조건적으로 사랑하도록 감수성도 줬단다. 남편이 잘못하더라도 옆에서 지지하는 힘을 줬단다. 그리고 이 모든 것과 함께 눈물을 함께 주어 어려움을 떨쳐내도록 했단다. 여자의 아름다운 마음을 보는 것은 눈물을 통해서다."

여자는 감정적 표현을 잘한다. 그래서 자주 울곤 한다. 하지만 위의 내용처럼 여자의 눈물은 어려움을 견뎌내기 위해 신이 준 선물이라 생각하니 어렵게 우시던 어머니의 눈물이 떠오른다. 여하튼 남자든 여자든 울고 싶을 때 마음껏 울 수 있는 환경이 조성되었으면 좋겠다.

지금은 심층적 공감이 필요한 시대다

제러미 리프킨Jeremy Rifkin의 『공감의 시대』를 보면 18세기 후반 유럽에서는 부유한 집안의 엄마들은 아기에게 젖을 물리는 것이 내키지 않아 아기를 낳자마자 주변의 가난한 사람에게 맡기는 일이 비일비재했다고 한다. 몸매를 유지하고, 사교생활을 방해받지 않기 위해 엄마로서 가장 기본적인 역할마저 포기한 것인데, 이로 인해 아동학대는 물론 숨지는 일도 잦았다. 이후 부유한 사람들은 자녀 양육에 대한 중요성 때문에 직접 돌보았으나, 하류층 사람들 사이에서 유모에게 아이를 맡기는 풍습이 유행하기 시작했다.

최근 어린이집 원아 폭행 사건이 언론에 보도되어 국민의 공분公憤을 산 적이 있다. 아이들의 양육에 대한 관심은 누구나 본능적으로 갖고 있는 사안이다 보니 어느 때보다 주목을 받았다. 한편으로는 뉴스가 사회의 가장 약자 중 한 명인 보육교사를 상대로 국민들로부터 사디즘sadism과 같이 가학적인 경향을 유발하는 것은 아닌가 하는 느낌도 받았었다.

지금 대한민국의 모습은 앞서 말한 유럽의 상황과 비슷하다. 돌이 채 지나기도 전에 아이 양육을 주위에 위탁하기 때문이다. 어린이집에 들어가기가 대학입시보다 어렵다는 말이 있을 정도로 밤샘하거나 추첨을 통해서라도 아이들을 외부에 맡기려 애를 쓰고 있다. 당첨되면 자식을 다른 곳에 맡기게 되었다고 좋아서 울고, 안되었다고 슬퍼서 운다.

전문가들은 자녀들이 포근하고 안정된 느낌을 받지 못하고 자라면 자의식은 억눌리게 되고 성장해서도 타인과 깊이 있는 관계를 맺을 수 없다고 말한다. 그리고 관용과 배려는 타고난 성격보다는 후천적인 교육의 영향이 더 크다는 결론을 내리기도 한다. 어떤 사람으로 성장하느냐는 어릴 때 어떤 관계를 경험하는가에 따라 달라지는데, 부모의 사랑 없이 외부에 맡겨진 환경에서 자란 아이들이 나중에 다시 보육교사로 직업을 얻게 되고, 결국에는 오늘날과 같은 일이 반복될 수밖에 없다.

한편 자녀 학대는 대부분 해당 자녀의 부모에 의해 일어난다. 정작 분노할 것은 어느 정도 학대에 대한 통제가 되는 제도

권에 있는 어린이집의 경우가 아니라, 알 수 없이 발생되는 집에서 벌어지고 있는 아동학대다. 그리고 어린이집 학대는 분노하면서 스스로 자행한 학대는 합리화하고 있는 것은 아닌지 돌아봐야 한다. 이러한 아동학대는 보육교사 한 사람의 개인적인 문제일 수도 있지만, 우리가 이해해 줘야 하는 부분도 있다. 보육교사의 현재 처우나 보육 스트레스 때문이다. 사람도 생물적인 존재로 보면 보육에 대한 스트레스가 반복되는 상황에서 지속적인 사랑과 공감을 아이들에게 매번 똑같이 주는 것은 쉽지 않다. 정서가 메말라 가는 일종의 '공감 피로증'이다. 이번 사건을 계기로 보육교사 등 감정노동자들에게 대한 표면적인 공감이 아닌 표현되지 않은 마음의 상태까지 알아주고 이해하는 심층적인 공감이 필요하다. 마디가 생기면서 나무는 크듯이 이번 일을 계기로 조금씩 밝은 사회로 나아갔으면 한다.

1부 변한다는 것만이 확실하다

08

인생의 목표는
성공이 아니라 행복

우리는 어디에서 왔고 누구이며 과연 어디로 가는 가? 이는 폴 고갱Paul Gauguin의 그림 제목이기도 하지만 늘 고민하게 만드는 주제다. 후회 없이 하루를 열심히 살았더라도 정작 이정표 없이 헤매고 방황한다면 우리는 쉽게 지치고 허망한 마음을 감출 길이 없다. 그렇다면 어떻게 해야 인생의 목표는 성공이 아닌 행복이라는 걸 이야기할 수 있을까? 급변하는 사회에서 인생의 목표가 행복이라면 무엇을 준비해야 할까?

진짜 행복하기 위해 지켜야 할 2가지

요즘 청소년들은 자신이 누구인지 모른다는 자아정체성에 관한 고민, 자신만의 강점과 적성에 대한 고민이 많은 것 같다. 그리고 이러한 고민의 이면에는 삶에서 성공이라는 목표를 향해 달려가는 조급함이 숨겨져 있다. 자신의 목표, 역할, 가치관 등에 대해 인식하는 자아정체성은 청소년기에 형성하는 게 바람직하다. 하지만 성인이 되어서도 정체성에 혼란을 느끼는 것은 매한가지다. 따라서 어린 시기에 정체성 때문에 너무 조급해할 필요는 없다. 살면서 얻게 되는 다양한 현상 속에서 정체성을 서서히 확립해 나가면 된다.

일단 방향이 정해졌으면 과감히 도전해야 한다. 불확실하고 위험한 상황에서 용기 내어 바다로 뛰어드는 퍼스트 펭귄First penguin이 되어야 한다. 스티브 잡스Steve Jobs의 스탠퍼드대 연설 중에서 "타인의 견해가 내면의 목소리를 삼키지 못하게 하라"는 말이나, 페이스북 창업자인 마크 저커버그Mark Elliot Zuckerberg가 하버드대에서 연설한 "목적의식을 가져야 한다."는 말은 스스로의 가치 기준에 맞게 삶을 선택하라는 것이다. 돈키호테처럼 이룰 수 없는 꿈을 꾸고, 이길 수 없는 적과 싸우는 자세가 필요하다. 다양한 경험 속에서 강점과 적성을 발견할 수 있을 것이다.

성공에 대한 인식도 바꾸어야 한다. 인터넷에 유행하는 것 중에 연령대별 성공의 기준이라는 글이 있다. 20대는 학벌이 좋으면 성공, 30대에는 좋은 직장에 다니면 성공이라는 것인데, 돌이켜 보면 학벌이나 좋은 직장이 성공의 기준이라는 말에 새삼 동의할 수가 없다. 생각해 보았을 때, 스스로 꿈꾸던 일을 하는 사람이 가장 성공한 사람이고 행복한 사람인 것 같다.

우리의 삶은 죽음의 순간까지 질문하고 느끼고 하는 과정이다. 너무 조급하게 어린 시기에 정체성에 대해 고민할 필요는 없다. 그러나 삶이 끝나는 날까지 찾지 않으면 안 된다. 언제나 바뀔 수 있는 성공의 기준보다는 그 목표를 향해 가면서 얻게 되는 것에서 행복감을 느끼는 자세가 필요하다.

우리는 정말 행복할까?

몇 해 전 방정환재단과 연세대 사회발전연구소의 공동 연구로 전국 초등학교 4학년부터 고등학교 3학년까지 6,946명을 대상으로 실시한 『2014년 한국 어린이 청소년 행복지수 국제비교연구』 결과, OECD 평균을 100으로 봤을 때 한국 어린이 · 청소년의 주관적 행복지수는 74.0이었다. 이 수치는 조사가 실시된 2009년 이후 6년째 OECD 국가 가운데 최하위다. 행복을 위해 가장 필요한 것으로 초 · 중학생은 화목한 가정을 꼽았고, 고등학생은 돈(19.2%)이라고 응답했다.

사람들에게 행복의 첫 번째 조건을 물으면 대다수가 돈이라고 대답할 것이다. 건강이 제일 중요하다는 대답도 많을 듯싶다. 이스털린Easterlin 이라는 경제학자는 일정 수준의 소득이면 늘어난 만큼 행복감이 비례하여 커지지 않는다는 일명 이스털린의 역설Easterlin paradox을 발표했다. 미국 미시간대 뱃시 스티븐슨 교수와 저스틴 울퍼 교수는 돈과 행복의 방정식에는 만족점satisfation point이 존재한다는 증거를 찾을 수 없었다고 했다. 사람의 욕심은 끝이 없다.

그러나 돈이 행복감을 느끼게 할 수는 있을지언정 지속적인 만족감을 갖게 하지는 못하는 것 같다. 그 이유는 우리 뇌에 있다. 바로 적응adaptation 때문이다. 미국 일리노이주의 복권 당첨자들을 대상으로 1년 후에도 여전히 행복한지를 조사를 했다. 주위 이웃과 행복의 정도에는 유의미한 차이가 없었다. 1995년 다이너Diener와 휴지타Fujita는 여대생을 대상으로 외모와 행복에 대한 실험을 진행했다. 공정한 실험을 위해 얼굴만 드러내고 모두 가렸다. 심지어 화장도 하지 않고, 머리카락에는 샤워캡을 씌웠다. 그리고 다른 학생들로 하여금 아름다운 정도를 평가하도록 하고 순위를 부여했다. 상위권에 들었던 여대생에게 행복한지 물었으나 행복하다고 느끼는 비율이 행복하지 않다고 느끼는 비율보다 낮았다. 결국 돈도 외모도 적응이라는 기제 때문에 행복감을 지속해 주지는 못한다. 사랑의 호르몬인 옥시토신oxytocin도 지속 기간이 몇 년이 안 된다고 한다.

행복에는 필요조건만 있을 뿐 충분조건은 없다. 따라서 특정한 것에 집착할 것이 아니라 삶에서 소소한 기쁨을 많이 누리는 것이 행복인 것 같다. 새롭고 다양한 경험을 통해 삶의 의욕을 불러일으키는 일을 찾아서 한다면 지속적으로 행복이 찾아오지 않을까.

09

우리가
우리에게 묻는다

　　여름이면 어김없이 들리는 것이 매미 소리다. 어릴 적 정겹게 기억되던 매미 소리가 어느덧 도시의 소음공해로 인식되고, 한 여름밤의 단잠을 빼앗아 가는 천덕꾸러기로 전락한 지 오래다. 시끄럽게 울어대는 매미는 수컷이다. 암컷을 유혹하기 위해 우는데 안쓰럽기 그지없다. 매미의 일생은 참으로 극적이다. 나무줄기 속에서 유충이 되어 땅으로 떨어져 5~7년 정도를 땅속에서 살다가 여러 변태를 거쳐 굼벵이로 지내다 허물을 벗고 매미로 변한다. 땅으로 떨어지는 과정에서 다른 곤충에 잡아먹히기도 하니 생존 자체가 우리가 태어난 확률만큼이나 높지 않다.

　　오랜 기간을 땅속에서 보내다가 지상에서는 겨우 2~4주 정도 살다가 죽는다. 이 짧은 기간 짝을 만나 다음 세대로 종족을 번식시키고자 열심히 운다. 얼마나 치열하고 처절한 생生인가. 문득 안도현 시인의 「너에게 묻는다」라는 시詩가 생각난다. 내용 중 일부는 이렇다. '연탄재 함부로 차지 마라. 너는 누구에게 한 번이라도 뜨거운 사람이었느냐.' 이 대목에서 죽는 순간까지 울어대는 매미나 연탄재처럼 열심히 살아가고 있느냐고 우리 스스로에게 물어봐야 한다.

후회하지 않는 삶을 살려면?

미국의 철강왕 앤드루 카네기Andrew Carnegie는 "행복해지고 싶다면 생각을 다스리고, 에너지를 분출시키며, 희망에 영감을 불어넣어 주는 목표를 세우라."고 했다. 삶에는 눈에 보이는 것 이상이 존재한다는 생각으로 목표를 세우고 삶의 좋은 흔적을 남기려고 열심히 살아가야 한다.

오늘은 어제 죽은 이가 그토록 간절히 바라던 내일이라는 말처럼 눈을 뜨면 당연히 맞이하는 하루가 어떤 사람에게는 전부일 수 있다. 이렇게 소중한 날을 대충 살아갈 수는 없다. 우리는 시간을 죽인다고 한다. 소일거리를 하면서 의미 없이 흘려보내는 것을 말하는데 이런 시간에도 매미는 삶의 마지막을 잡고 애타게 울어댄다.

심리학 용어에 폴리애나 현상pollyanna hypothesis라는 것이 있다. 두렵거나 감당하기 어려운 상황에서 '어떻게 되겠지' 하는 생각을 하는 경우를 말한다. 폴리애나는 지나치게 낙천적인 사람을 일컫는다. 지나친 긍정이 가져오는 일종의 부작용이다.

미래에 대해서 어떻게 되겠지 하는 생각을 가진 사람들이 의외로 많다. 매미의 생존 기간이 짧듯이 우리 삶의 기간도 길지 않다. 매미가 마지막 순간까지 온 힘을 다해 울어대듯이 우리도 주어진 시간 동안 의미 있는 삶을 살도록 끊임없이 노력해야 한다.

사람은 조금 먼 미래를 낙관하는 경향이 있다고 한다. 일명 먼 미래 효과far future effect이다. 그래서 위기가 닥치고 나서야 후회한다. 은퇴 시점에서야 준비 못한 것을 후회한다. 매미는 여름 한 철 울어댄다. 너무 짧게 살다 가지만 인간의 삶도 짧고, 한 철이니 열심히 살라는 메시지를 온몸으로 알려주고 있다. 먼 훗날 후회하지 않은 삶을 살려면 지금부터 어떻게 살아야 하는지를 고민해야 한다.

열정은 식는 순간 늙는다

호서대 설립자 고故 강석규 박사의 '어느 95세 노인의 후회'라는 제목의 글이 많은 사람들 사이에 공유된 적이 있다. 내용을 보면 65세에 은퇴해 나머지 인생을 덤이라는 생각으로 죽기만을 기다리며 살았는데 어느덧 95세가 됐고, 30여 년을 더 살 줄 알았더라면 뭔가를 했어야 했다고 후회하는 내용이다. 그러면서 더 늦기 전에 어학공부를 해야겠다는 독백으로 끝난다. 일본에 시바타 도요しばたとよ라는 최고령 시인이 있었다. 92

세에 시를 쓰기 시작해 98세에 쓴 『약해지지 마』라는 시집이 베스트셀러가 됐으며, 100세 생일을 기념하며 『100세』라는 시집을 출간하기도 했다.

UN에서 발표한 연령대별 분류를 보면 18세부터 65세까지를 청년, 66세부터 79세까지를 중년, 80세부터 99세까지를 노년, 그리고 100세 이후를 장수 노인으로 분류하고 있다. 이는 천수인 120세까지 살 것이라고 예상하고 만든 것이다.

늙기 시작하는 시점은 삶의 열정이 없어지고 배움을 중단하는 순간부터라는 말이 있다. 하버드대 엘렌 랭어 Ellen J. Langer 교수의 '시계 거꾸로 돌리기'라는 연구를 보면, 여덟 명의 노인을 20여 년 전의 환경에서 생활하게 했더니 그들의 신체 나이와 지능 등이 20여 년 전 수준으로 돌아갔다는 방송 내용을 본 적이 있다.

나이는 숫자에 불과한 셈이고 관념에 불과하다. 앞서 말한 시바타 도요 시인은 102세의 나이로 사망했지만, '약해지지 마'의 시 후반부에서 "나도 괴로운 일 많았지만 살아있어 좋았어. 너도 약해지지 마."라고 썼다.

약해지지 말아야겠다고 생각해 보지만, 아무리 마음먹어도 나이 들면서는 약해질 수밖에 없다. 외모와 기억력 때문에 더욱 그렇다. 노인의 머리가 흰 것은 멀리서도 잘 보이도록 하기 위함이며, 기억력이 떨어지는 것은 모든 것을 기억하면 정신에 이상이 오기 때문이라는 미국 소설가 마크 트웨인 Mark Twain 의 말처럼 80세로 태어나 18세를 향해 늙어간다면 얼마나 좋을까 하는 헛된 희망을 가져본다. 겨울이 지나면 봄이 온다. 자연도 사람도 의욕으로 충만해질 때다. 삶이 끝나는 순간까지 봄처럼 가슴 뛰는 삶을 살고 싶다. 현재의 내가 미래의 또 다른 나를 위해 열정을 불태워야겠다. 삶이 녹슬어 없어지는 것보다 닳아 없어지는 것이 낫다고 말하는 어르신들을 만난 적이 있다.

삶이란 누구나 처음 가는 길이다. 그래서 두려움이 있을 수밖에 없다. 나를 위해 닳도록 열정을 불태우자. 우리는 기대한 대로 늙고, 열정이 식어가는 순간 늙어 간다. 어쩌면 인생은 실천하고 원하고 바라는 대로 흘러간다. 오늘의 나는 과연 어떤 말을 심었을까. 돌이켜볼 수 있어야 한다. 반드시 부디, 열정으로 살자. 그것이 사람의 마음에 감동을 일으키고 활력을 주는 일일 것이다. 주어진 하루를 감사하고 살면 결코 버릴 것이 없다.

"당신이 할 수 있다고 믿든,
할 수 없다고 믿든,
믿는 대로 될 것이다."

헨리 포드

3장

생각하는
인간

10

인생에 마지막 5분이
주어진다면

급변하는 사회에 우리는 작은 사건이나 상황 변화에
도 쉽게 흔들린다. 흔들지지 않고 살아갈 수 있는게 있을까?
흔들리며 피는 꽃이라는 시인의 시詩가 있고, 흔들리는 것은
살아있다는 방증임을 애써 위안으로 삼지만 요즘처럼 환경 변
화가 심할 때는 뭔가 중심을 잡아줄 대상이 필요하다. 오랜 성
현들의 지혜가 통째로 담긴 탈무드에서 그 힌트를 찾을 수
있다.

『탈무드Talmud』는 유대인 구전 율법에 후대의 해설을 덧붙인
것으로 전통과 관계 등에 관한 해설을 담고 있는 책이다. 또한
수백 년 동안 구전으로 전승되어온 내용의 모음집인 미쉬나
Mishnah와 미쉬나의 원론적인 내용을 생활에 적용하기 위해 오
랜 기간 토론하고 해석한 내용을 담은 '배운다'는 뜻의 게마라
Gemara를 한데 모은 책이기도 하다.

탈무드 공부는 토론방식인 하브루타havruta 교육을 통해서 이

뤄진다. 하브루타가 동료를 의미한다는 것에서도 알 수 있듯이, 상대방과 서로 질문하고 대답하며 토론방식으로 문제를 해결하고 결론을 도출하는 방식이다. 유대인 노벨상 수상자가 유독 많은 이유를 이런 교육방식에서 찾기 때문에 우리나라 가정이나 학교에서도 시도하는 사례가 늘고 있다. 이러한 방식이 창의성 개발과 사고력 확장에 효과가 있다고 보기 때문에 아이들과 대화할 때는 질문을 통해 대화를 유도하고 학교 가서는 질문 한 가지 이상을 꼭 하도록 교육하고 있다.

하브루타 교육 vs 인문학 : 연결(Connection)

유대인 도서관인 예시바Yeshiba는 여느 도서관과 달리 항상 시끄럽다. 도서관 칸막이가 없어 상호 토론할 수 있는 구조로 되어 있으며, 처음 보는 사람과도 자연스럽게 상호 토론을 하면서 자신의 주장을 펼친다. 이러한 방법은 학습 피라미드 Learning Pyramid에서 보는 것과 같이 단순한 강의를 듣는 것 보다 수십 배의 교육 효과가 있다. 배우기 위해 가르친다는 말처럼 질문과 대답이라는 상호작용 속에서 지식과 지혜는 배가된다. 문제 해결을 위해서는 자기만의 논리와 비판적 사고가 사전에 요구되기 때문에 설득력이 길러지고 협상력도 높아진다. 결론에 이르는 방법이 다양하기 때문에 다양한 시각의 직관과 통찰력도 제공하는 것이 하브루타 교육이다.

지금은 연결Connection 및 창조Creation 능력이 중요시되는 시대다. 새로운 것뿐만 아니라 존재하는 것에서 관점을 바꿔 새로운 부가가치를 만들어 내는 것이 중요하다. 단답식이나 객관식 같은 정해진 문제는 사고를 경직시킨다. 하브루타 교육은 정해진 답을 요구하지 않고 자신만의 창의적인 답을 도출할 수 있도록 도와준다.

요즘 인문학에 대한 관심 또한 대단히 높다. 일부 대학에서는 대학에 이익을 가져다주지 못한다는 이유로 학과 폐지 또는 비인기학과로 전락하고 있지만, 정작 사회에서는 인문학 열풍이 불고 있다. 아마 '우리가 왜 사는지' 그리고 '어디로 가고 있는지'에 대한 진지한 고민 없이 달려오다 보니 자신을 돌아보고, 진정한 자아를 찾고 싶은 욕망이 표출되는 것이 아닌가 싶다. 중세의 신神 중심 세계관에서 르네상스를 통해 고대 인간관을 다시 계승하려는 것이 요즘 말하는 인문학의 태동인 것처럼, 사회가 요구하는 삶이 아니라 자기만의 창조적인 삶을 만들어 내기 위한 고민에 이론적 근거를 제시하기 때문이 아닐까 한다.

인문학은 자연과학처럼 딱 떨어지는 정답을 요구하지 않는다. 보는 시각에 따라 다양한 답이 가능하다. 인문학이 다양한 시각을 갖도록 도와주는 학문인 것처럼 앞서 말한 하브루타 교육도 정해진 답이 아니라 답을 찾아가는 과정을 중시하고, 우리의 사고를 고정시키지 않으며 창의적인 생각을 가능케 한다는 점에서 배울 점과 유사점이 많은 것 같다.

인생의 마지막 5분 : 창조(Creation)

1849년 12월, 러시아 세묘노프 광장에는 반체제 혐의로 사형을 기다리는 28세의 한 청년이 있었다. 사형 집행 당일, 세상과 이별하기 직전에 마지막 5분이 주어졌다. 그는 2분간 알고 지내온 사람들에게 먼저 떠나는 자신을 용서해 달라는 기도를 했다. 다른 2분은 헛된 삶을 살아온 자신을 원망하는 데 썼다. 마지막 1분은 하늘과 땅을 보며 떠나야 하는 아쉬움을 달래는 데 썼다.

사형을 위해 주위가 분주해지고 마침내 총알이 장전되는 순간, 사형 대신 유배를 명하는 황제의 명령이 하달되어 목숨을 건진다. 그게 바로 『죄와 벌』 등 불후의 명작을 남긴 러시아 대문호 도스토예프스키다. 그는 소설 『백치』에서 "나에게 마지막 5분이 주어진다면 2분은 주위 사람들과 작별하는데, 2분은 삶을 돌아보는데, 마지막 1분은 세상을 바라보는 데 쓰고 싶었다."고 당시 상황을 떠올리며 술회했다.

우리나라에서는 안중근 의사와 관련해서 이와 비슷한 이야기가 있다. 안중근 의사는 뤼순 감옥에서 사형 집행을 기다리고 있었다. 교도관이 형장으로 갈 시간이 되었다고 하자 "내가 읽던 책을 다 읽지 못하였으니 5분만 시간을 달라."고 청한 뒤, 끝까지 책을 다 읽은 후에야 자리에서 일어섰다. 죽음을 앞둔 상황에서도 참으로 의연했고, 마지막까지 흐트러진 모습을 보이지 않았다.

누구에게나 마지막 순간이 있다. 인생의 마지막 5분이 주어진다면 어떻게 사용할까? 살아온 삶을 무엇으로 정의할 수 있을지 고민해 본다. 뒤집어 생각하면 삶의 5분을 연속같이 살 수만 있다면 후회 없는 삶이 될 것이라 여겨진다.

천상병 시인의 시 「귀천」에서처럼 '아름다운 이 세상 소풍 끝내는 날, 가서 아름다웠노라'고 말할 수 있도록 노력하는 삶을 살아야겠다. '헛되이 보낸 오늘은 어제 죽은 이가 그토록 바라던 내일'이라는 말처럼 이 순간을 선물present이라 여기며 살아야 한다.

나는 '매일 아침, 잠에서 깨어나는 순간을 작은 죽음에서 깨어난 것으로 여기고 매일 새로운 인생을 살자'고 다짐한다. 그래서 시간을 분分 단위로 나서서 활용한다. 승용차를 타고 있는 순간에는 라디오를 듣고, 대중교통을 이용할 때는 항상 책을 읽는다. 업무가 끝나면 강의, 강연을 찾아 듣는다.

시작은 어려웠지만, 이제는 습관이 되어버렸다. 비행기가 날아오르기까지 많은 연료를 소모하지만 일단 날아오르면 많은 연료가 필요 없는 것처럼 말이다. 이제는 시간을 관리하며 사는 것이 오히려 편해졌다. 특별히 하는 것 없이 시간을 보낼 때 '시간을 죽인다'고 말한다. 그러나 무의미하게 보내는 시간이 모이면 인생이 되고, 기적이 된다고 생각한다. 생각대로 살지 않으면 사는 대로 생각한다는 말이 있다. 정신의 감옥에 갇히지 말고 실패를 무릅쓰더라도 마음이 이끄는 삶을 살아야 한다. 경영학자인 톰 피터스Tom Peters는 자신의 저서 『미래를 경영하라』에서 "노력하다 실패한 경우 멋진 실패에 상을 주고, 평범한 성공에는 벌을 주라."고 하면서 실패를 두려워하지 말고 노력할 것을 주문했다.

시간은 모든 사람에게 공평하게 주어진다. 하지만 시간은 어떻게 활용하느냐에 따라 인생이 달라진다. 알프레드 디 수자 Alfred D. Suja의 시詩「사랑하라, 한 번도 상처받지 않은 것처럼」의 한 구절처럼 오늘이 마지막 날인 것처럼 살아간다면 후회 없는 삶이 되지 않을까.

영화 〈역린〉을 통해 잘 알려진 중용 23장에는 '작은 일도 무시하지 않고 최선을 다하고, 지극히 정성을 다하는 사람만이 자신과 세상을 변화시킬 수 있다'고 하였다. 영화 〈명량〉에서는 '한 사람이 길을 막으면 천 사람을 두렵게 할 수 있다.'고 했으며, '두려움에 맞서는 자 역사를 바꿀 것이다'라고 하면서 열정과 용기를 주문하고 있다. 지금은 열정의 빈곤 시대라 한다. 짧은 시간이라도 소중히 여기며 작은 일이라도 열정을 다해 소홀하지 않으면, 마지막 순간에 이 세상이 참으로 아름다웠다고 회상하지 않을까.

누구에게나 마지막 순간이 있다.

인생의 마지막 5분이 주어진다면
어떻게 사용할까?

살아온 삶을
무엇으로 정의할 수 있을지 고민해 본다.

뒤집어 생각하면
삶의 5분을 연속같이 살 수만 있다면
후회 없는 삶이 되지 않을까?

11

끌어당김의
법칙

　'백지장도 맞들면 낫다'는 우리 속담이 있다. 서로 힘을 합치면 혼자 하는 것보다 수월하다는 뜻이다. 개개인의 힘을 합친 것보다 전체가 발휘한 힘의 위력이 더 클때가 많고, 기적과 같은 결과를 만들어 내기도 한다. 지하철 승객들이 지하철 차량을 밀어 올려 플랫폼에 끼인 승객을 구조하기도 하고, 작은 물고기들이 모여 큰 물고기 모양을 만들어 천적을 물리치기도 한다. 우리 속담에 '빨리 가려면 뛰어가고, 멀리 가려면 걸어가라'고 했다. 아프리카 속담에는 '빨리 가려면 혼자 가고, 멀리 가려면 함께 가라'는 말도 있다. 혼자 가면 먼 길도 같이 가면 가깝게 느낀 적이 있을 것이다. 인생도, 마라톤과 같아서 동일한 의식과 공동체 의식을 갖고 살아가는 것이 머나먼 목적지에 안전하게 도달하게 하고, 전체 사회를 건강하게 유지되게끔 만들어 준다.

생각의 차이가 능력의 차이

누구나 한 번쯤 무리지어 날아가는 기러기를 본 적이 있을 것이다. 기러기는 V자 형태로 무리지어 날아간다. 앞서가는 기러기의 날갯짓이 뒤에 따라오는 기러기에게 공기 부양력을 주어 혼자 날아갈 때보다 70% 이상의 비행 능력을 높여준다. 앞선 기러기가 힘이 들 때는 뒤로 물러나서 앞쪽에 날고 있는 기러기의 부양력을 이용하여 날게 된다. 뒤에 있는 기러기는 소리를 내어 앞에서 날고 있는 무리를 응원한다. 사람뿐만 아니라 동물들도 상호협력하면서 시너지 효과를 만들어 내고 있다. 이처럼 전체의 힘은 개개인의 힘을 더한 것보다는 같거나 클 것이라 예상했다.

하지만 실험 결과는 사뭇 달랐다. 독일의 심리학자 맥시밀리언 링겔만의 실험에서 유래한 일명 링겔만 효과 Ringelmann effect 라는 것이 있다. 역시너지 효과라 하는데, 집단 속에 참여하는 개인의 수가 늘어갈수록 성과에 대한 1인당 기여도가 오히려 떨어지는 현상을 말한다. 밧줄 당기기 실험에서 혼자일 때는 100% 힘을 발휘하지만, 두 명일 때는 93%, 세 명일 때는 83%, 여덟 명일 때는 49%의 힘을 발휘했다. 참여자가 늘수록 전력을 쏟지 않는 것으로 밝혀졌다.

사람이나 동물이나 집단생활을 통해 상호 협력하는 것이 생존율을 높이는데, 유리하다는 것과 살아가는데 효율적이라는 것을 경험적으로 알기 때문에 사회라는 울타리를 만들어 생존해 가고 있다. 실제로 코요테 무리 중에서 사회 집단에 속하는 것을 거부하는 개체는 55%의 사망률에 직면한 반면, 집단에 남아 있는 개체들의 사망률은 20%였다는 결과가 있었다.

사람은 누구나 자기 이익을 추구하고 자기실현을 도모한다. 하지만 공동책임은 무책임이라고 하는 생각 또는 사회적 태만이나 무임승차를 하게 되면 사회 전체의 이익에 배치되게 된다. 우리는 스스로 선택하고 행동하며 책임을 짐으로써 존재 이유와 건강한 사회를 만들어간다. 전체의 힘이 부분의 합보다 커지려면 자기 결정권도 중요하지만, 사회에 손해가 되지 않는 방향으로 생각하고 행동할 필요가 있다. 함께하기 위해서는 무조건 주변을 돌아보는 배려가 중요하다. 나 혼자만의 방향으로 보고 있는 것은 아닌지 수시로 점검해야한다.

생각이 자기 확신이 되기까지

심리 상담 중에 인지 치료라는 게 있다. 우리가 느끼는 반응은 발생한 사건 때문이라기보다는 사건을 대하는 태도나 신념 등에 의해 형성된다는 것을 전제로 한다. 상황을 어떤 식으로 인지하느냐는 객관적 사실 때문이 아닌 그 사실을 바라보는 관점 때문이라는 것이다. 따라서 인지를 치료하면 정서나 행동의 변화까지 유도할 수 있게 된다. 합리적 정서 행동치료 REBT의 창시자인 앨버트 엘리스 Albert Ellis는 사람의 감정은 대개 생각에서 나오기 때문에 감정을 만들어냈던 생각을 다시 통제하면 감정을 눈에 띄게 통제할 수 있다고 봤는데 이것이 인지 치료의 한 줄기다. 이처럼 어떻게 인지하느냐에 따라 행동이 좌우된다.

또한, 행동은 우리가 사용하는 언어에 의해서도 영향을 받는다. 우리는 무의식적으로 '힘들어 죽겠다' 등의 말을 자주 하면 결국 말이 씨가 된다고 하는데 이를 '심층언어'라고 한다. 철학자 마르틴 하이데거Martin Heidegger는 "언어는 존재의 집"이라고 했다. 사물에 언어가 부여되면서 비로소 실존을 갖게 되며, 마찬가지로 느끼는 기분은 기쁨, 슬픔, 즐거움 등 이런 감정적 언어가 부여되면서 감정을 심리적으로 갖게 된다. 대화에는 긍정적 언어를 사용해야 한다. 긍정적인 언어 사용은 자존감과 행동 의지를 높여 궁극적으로는 생산성까지 향상시킨다. 반면 부정적인 언어 사용은 기분을 나쁘게 하고 무기력의 길로 빠져 들게 만든다. 무의식적으로 하는 말이 의식을 지배하고 자기 심리까지 내면화되어서 생각과 행동을 바꾼다는 것을 알 수 있다.

한편 『성공하는 사람들의 7가지 습관』의 저자로 잘 알려진 스티븐 코비Stephen Covey 박사는 우리 인생은 10%는 일어나는 사건들로 결정되고, 나머지 90%는 어떻게 반응하느냐에 따라 결정된다고 했다. 일명 '10대 90의 법칙'이다. 사건에 대한 반응은 전적으로 본인의 인지에 달려있다. 같은 사건이라도 받아들이는 방식에 따라 결과는 달라진다. 『죽음의 수용소에서』

의 저자 빅터 프랭클_{Viktor Frankl}은 다른 모든 것은 사람에게서 빼앗을 수 있지만 빼앗을 수 없는 것이 어떤 상황에서든 자신의 방식을 선택하고 자신의 태도를 결정하는 마지막 자유라고 했다. 나치 수용소에서 인간의 존엄성만은 포기하지 않았고 구사일생으로 생존했다. 그의 말은 자극과 반응 사이에는 공간이 있고 공간 반응에 대응하는 힘이 있어 반응에 따라 성장과 자유가 놓여 있다고 본 것이다.

전 MBC 앵커인 김상운의 『왓칭』에는 신이 부리는 요술, 관찰자 효과_{observer effect}가 나온다. 바라보는 대로 효과가 발생한다는 것인데, 세상의 모든 물질은 파동을 지닌 미립자로 구성되어 있기 때문에 사물에 대한 관찰 행위에 영향을 받은 입자들로 인해 실제로 변화가 일어난다는 것이다. 이런 결과는 에모토 마사루의 『물은 답을 알고 있다』는 책의 내용과 맥락을 같이 한다. 좋은 말과 칭찬을 들은 물의 결정체는 아름다운 육각형 결정체인데 반해 나쁜 말과 비난의 말을 들은 물의 결정체는 일그러져 있다.

뭔가를 시작할 때는 앞서 한계를 정하면 안 된다. 그리고 하기 전에 실패에 대한 명분을 만드는 합리화 과정인 일명 셀프 핸디캡핑_{Self Handicapping}도 지양해야 한다. 몇 년 전 연구자들이 벼룩을 대상으로 실험을 진행했다. 벼룩의 크기는 보통 1.5mm에서 3mm 정도다. 수평으로 33cm, 위로 18cm 이상 점프하는 것으로 알려져 있다. 이 벼룩을 병에다 넣고 뚜껑을 닫았다. 그리고 3일 뒤 뚜껑을 열었다. 뚜껑 너머 탈출이 가능했음에도 불구하고 뚜껑 높이 이상을 시도하지 않았다. 조용한 절망Quiet Desperation 즉, 학습된 무기력에 빠진 것이다. 생각을 반복하면 그 생각이 실제로 심리적, 신체적으로 영향을 주어 자기 확신self-affirmation으로 굳어졌기 때문이다.

원하면 이루어진다는 끌어당김의 법칙Law of Attraction이 있다. 원하는 결과를 만들어 내면 매사에 긍정적인 언어, 사고, 믿음과 신념 등이 필요하다. 긍정적인 생각은 자신의 능력 이상 성과를 만들어 낸다. 어떻게 바라보느냐에 따라 우리의 심리나 행동도 영향을 받는다. 생각의 차이가 곧 능력과 결과의 차이를 만들어 내는 것이다.

12

무한경쟁에서
생각해야 할 일

       국가는 국민의 안전을 완전히 보장해 주지 못한다. 자신의 안전은 스스로 챙겨야 한다는 걸 우리는 알고 있다. 바야흐로 각자도생各自圖生하는 시대인 것이다. 우리나라 입장에서는 강대국 간 신냉전 분위기와 헤게모니 쟁탈전 가운데서 어떻게 포지셔닝할 것인지 고민해야 한다. 내부적으로는 남북 간 긴장 완화, 미국 금리 인상에 따른 가계부채 문제 해결, 이념 대립 해소 등 사회 내부의 문제를 잘 봉합하여 국가 경쟁력을 확보해야 한다. 이러한 상황에서 국가든 사회든 각자 살 길을 스스로 찾지 않으면 안되는 상황에 놓였다.

  개인도 각자도생해야 할 상황들이 참으로 많다. 청년층은 일자리를 두고 세대 간 경쟁을 해야 하고, 직장 내에서는 승진을 위해 상호 경쟁해야 하고, 은퇴 후에는 한정된 일자리를 놓고 또다시 경쟁해야 한다. 이러한 경쟁에서 낙오되면 삶은 비참해질 수밖에 없다. 산다는 것 자체가 경쟁의 연속이고 생존을 위한 전쟁이다. 철학자 토마스 홉스Thomas Hobbes는 "인간은 태어나면서부터 평등하지만 자연 상태에 있어서는 만인은 만인에 대해서 싸우는 상태에 있다."고 했다. 그래서일까 돈이든, 권력 앞에서 약자가 되면 어떨 때는 비굴한 행동을 할 때도 있고, 머리를 조아려야 할 때도 있다. 원리·원칙보다는 적정한 선에서 타협을 해야만 하는 상황도 벌어진다. 박노자 작가는 이러한 우리나라 상황을 비굴한 시대라 표현했다.

큰 틀에서 인간은 서로 공동체를 만들어 협동하며 살아가고 있다. 냉엄한 자연환경에서 살아남는 데 더 유리하기 때문이다. 하버드 대학교의 제롬 케이건Jerome Kagan 교수는 선행의 총합은 악행의 총합보다 크면서 비록 인간이 이기심, 공격성 등의 생물학적 경향을 이어받기는 했지만, 친절, 동정, 협력, 사랑 등의 생물학적 경향을 크게 이어받았다고 했다. 지리학자 크로포트킨Kropotkin은 만물은 서로 돕는다는 책을 통해 자발적인 상호 부조와 협동 관계를 진화의 요인이라고 보기도 했다. 서로를 위한 공동체이지만 그 안에서는 생존을 위한 무한경쟁이 펼쳐지고 있다.

지나친 경쟁은 남의 불행을 자신의 행복으로 여기게 만들고 갑을 관계에서 갑질과 같은 사회문제를 야기한다. 우리는 끝없는 경쟁을 통해 삶을 살아갈 수는 없다. 영원히 살 수 없고 어느 시점을 살다가 없어지는 존재다. 인간이 위대한 이유가 우리 자신의 보잘 것 없음을 깨닫기 때문이라고 했듯이 경쟁에서 이긴 승자나 패자나 유한한 도긴개긴이라는 자세가 필요하다. 각자도생이라는 사자성어가 사회를 대변하는 용어로 등장하는 것을 보니 조급함이 느껴지면서 마음이 편치 않다. 이 시점에 필요한 것은 서로를 배려하고, 경쟁에 지친 서로의 영혼을 달래주는 높은 사회 지능이 필요해 보인다.

피터의 원리 Peter Principle

직장인이라면 한 번쯤 자신에게 맡겨진 업무가 자신의 능력에 합당하기 때문에 맡겨진 것인지, 또는 조직 내 주어진 역할을 수행할 만큼 자신의 능력이 되는지 궁금해한 적이 있을 것이다. 특히 승진한 경우, 스스로 승진할 만한 능력이 있는지 스스로 의문을 가진 적도 있을 것이다. 이러한 생각은 동서양을 불문하고 대부분 사람들이 공통적으로 갖는 질문이다.

그래서인지 지난 1978년 미국 심리학자 폴린 클렌스 Pauline Clance와 수잔 아임스 Suzanne Imes 는 사기꾼 증후군 imposter syndrome, 일명 가면 증후군이라는 용어를 사용해 이러한 심리 현상을 연구했다. 이것은 새로운 도전에 직면했을 때 또는 자신이 만든 업적을 능력이 있어 달성했다고 믿는 것이 아니라 운이 좋았다거나 타이밍이 좋았다고 여기는 등 자신의 성공 능력에 확신을 갖지 못하고 성공을 외부요인에 둘 때 나타나는 심리 현상이다.

필자는 승진했을 때, 어떤 일을 성취했을 때, 책을 출간했을 때 능력이 아니라 운에 의해 됐다고 느끼는 경우가 많았었다. 돌이켜 보면 열심히 노력한 결과였지만 경영컨설턴트 톰 피터스Tom Peters가 말한 것처럼 "멋진 실패에 상을 주고 평범한 성공을 벌하라"는 신념이 있었기 때문에 나타나는 완벽에 대한 집착이었지 않나 생각한다.

　이와는 다르게 스스로 능력을 돌아보는 생각마저 하지 않는 사람도 많다. 아니 생각 자체가 없는 경우도 있다. 능력이라기보다는 능력 외적인 요소에 의해 일이 성취되다 보니 스스로에게 자문할 것이 없고, 결과를 예단할 수 있었기 때문에 일이 성취된 것이 외부요인이라기보다는 본인의 변칙적인 능력임을 이미 알기 때문일 것이다. 심각한 것은 이러한 부류의 사람들이 어느 조직에서나 주요 위치에 점차 포진하게 되는 데 있다. 악화가 양화를 구축한다는 말이 있다. 시장에 좋은 품질의 화폐와 나쁜 품질의 화폐가 동시에 존재할 때 품질이 나쁜 화폐만 남고 좋은 품질의 화폐는 사라진다는 뜻이다. 조직관리로 말하면 제대로 된 인사가 되지 않으면 능력이 없는 사람만 남고, 능력 있는 사람은 밀려나는 현상이 발생했다.

　즉 자질이 높은 사람은 조직에서 사라지고 자질이 낮은 사람들만 남게 된다. 호수에 떨어진 먹물처럼 곧 자취를 감추겠지만 결국 조직의 환부가 되고 사기를 떨어뜨리는 결과가 초래된다. 그러나 이것이 누적되면 사회든 조직이든 건강하지 못할 것이다. 결국에는 '피터의 원리'처럼 정말 일 열심히 하는 사람이 아니라 무능한 사람이 계속 승진하는 모순이 발생된다.

사라져 가는 빛에 대하여 분노하라

프랑스 소설가 베르나르 베르베르Bernard Werber의 책『상상력 사전』에서 "현재와 과거 속에서 사는 동물과 달리 인간은 앞으로 일어날 일을 예측하려고 한다."라고 했다. 일반적으로 동물들은 당장 닥친 일을 이미 경험했던 일과 비교하지만, 인간은 앞으로 일어날 일을 예측한다는 말이다.

영화 〈인터스텔라〉는 황사, 병충해와 같은 자연재해로 식량난에 봉착하자 인류를 살리기 위해 다른 행성을 찾아 떠나는 것으로 시작된다. 그러면서 앞날에 대한 희망을 잃지 말자는 의미로 딜런 토마스Dylan Thomas의 「순순히 멋진 밤을 받아들이지 마세요」라는 시 한 구절이 나온다.

"순순히 멋진 밤을 받아들이지 마세요. 노년은 날이 저물어감에 불타오르고 몸부림쳐야 합니다. 분노하고 분노하세요. 사라져가는 빛에 대하여"

모호하면서도 중의성을 띠고 있지만, 필요한 일에는 수수방관하지 말고 어떤 행동이라도 해야 한다는 메시지로 받아들여진다.

현재 우리나라 식량 상황은 곡물을 해외에서 수입하는 비율이 높다 보니 식량안보 취약, 우리의 밥상에 오르는 대부분을 외국 글로벌 식품회사에 의존하는 글로벌 푸드 시스템 고착화

등이다. 특히 식량난이 대두되는 주요 요인은 먼저 수요증가다.

그중 한가지 원인이 인구증가이다. 세계인구가 1850년 산업 혁명의 영향으로 11억 7천만 명이던 세계인구는 1세기 뒤인 1950년경에는 24억 9천 명으로 두 배 정도 늘어난다. 그러나 다음 1세기 뒤인 2050년에는 두 배가 아닌 세 배 이상인 90억 명으로 늘어날 것으로 예측되고 있다.

또 다른 수요증가 요인은 바이오에너지 생산과 이상기후 등 자연재해 증가에 있다. 미국 생산 옥수수의 40%가 바이오 연료 생산에 쓰일 정도로 인간이 먹어야 할 식량이 다른 용도로 전용되고 있다. 인간과 동물이 나누어 먹던 것을 이제는 차량과 나눠 먹어야 하는 상황인 것이다.

자연재해는 자연적인 현상 때문도 있지만, 영화에서처럼 우리 인류가 저지른 잘못의 결과로 받게 되는 벌인 경우가 많다. 인류는 2차 세계 대전 이후 폭발적인 식량 수요를 충족시키기 위해 다품종 종자보급, 비료 보급 등 녹색혁명을 통해 해결해 왔다. 그러나 앞으로 지구환경이 더 파괴되고 농업을 할 수 없는 상황이 되면 영화의 명대사 "우리는 답을 찾을 것이다. 늘 그랬듯이"와 같이 인류가 새로운 답을 찾을 수 있을지는 미지수다.

이 영화는 지구의 소중함을 깨닫게 하는 것은 물론, 국가가 생존하기 위해서는 농업 생태계·지구 생태계가 온전히 보전되어야 한다는 것을 느끼게 했다. 한편으로는 식량은 돈만 지불하면 언제든지 마트 선반에서 쉽게 손에 넣을 수 있는 것이 아니라는 소중한 교훈과 그 먹을거리를 공급하는 농업이 최고의 가치를 지닌 분야라는 메시지를 던져주고 있다. 생명, 문화, 역사, 정체성의 근본인 농업·농촌에 대한 고마움 또한 잊지 말아야 한다는 것을 말하고 있다. 우리가 잘 인식하지 못하는 사이에 우리 주위를 밝혀온 농업·농촌·농업인이라는 사라져 가는 빛에 대해 온 국민이 분노하고 또 분노해야 할 때이다.

각자도생하는 시대, 우리가 가장 먼저 챙길 것은 함께하는 사람들에 대한 고마움에 대한 표현이다. 또한 조직 사회에서 반복되는 악순환을 끊어내고, 분노해야 할 것은 당당하게 분노할 수 있는 용기가 필요하다. 끝없는 무한경쟁 사회, 당신은 무엇을 준비하고 있는가?

13

발상을 바꾸면
길이 보인다

요즘 같은 시대는 새로운 제품이 유행하면 금세 다른 곳에서 모방해 버린다. 모두가 비범할 때 평범한 것이 비범한 것이 된다. 예를 들면 '발상을 전환하라'다. 누구나 브랜드를 외칠 때 노브랜드로 승부를 걸고, 차별화 시대에 비차별적인 요소로 승부하며, 무한경쟁 시장으로 뛰어들어 경쟁하기보다는 남들이 하지 않는 발상을 하는 것이 차별화 시대에 더 차별화할 수 있는 전략이다.

모두가 생각하는 같은 패턴으로 사고하면 경쟁에서 이길 수가 없다. 꿈을 이루기 위해서는 간절한 마음이 있어야 한다. 그것이 모여 생각이 현실이 되는 자성적 예언Self-fulfilling Prophecy의 효과가 있기 때문이다. 그리고 목표가 뚜렷해야 한다. 어떤 문제를 해결하고 싶으면, 가장 먼저 문제의 정의부터 내려야 하듯이 목표 설정에 앞서 '그런 꿈과 목표를 이루어 뭐 할래?'에 대한 답이 어느 정도 내면에서 울려야 한다. 그것이 진정한 시작점이 된다. 창조적인 인재로 살아남기 위해 우리는 어떤 전략을 세워야 할까? 점검해볼 필요가 있다.

꿈을 이루는 방법 : 실행

꿈과 목표의 차이점은 무엇일까. 꿈보다는 목표가 더 구체적인 것 같다. 막연히 생각할 때도 '꿈을 꾼다'거나 현실적이 되라고 조언할 때 '꿈 깨라'고 하는 표현을 쓰는 것을 보면 그렇다. 목표를 이루기 위한 세부 실천 행동이 핵심가치가 되는 것이다. 꿈과 목표가 있으면 열정이 발동하고, 열정은 내면을 의식화하여 그 꿈을 구체화하는 노력을 가능케 한다. 꿈과 목표 설정은 목적 달성을 위한 의식화하는 작업이고, 품었던 생각을 시각화해 나가는 과정이다. 어설프지만 실행해 보는 것이 완벽한 계획보다 낫다. 꿈을 이루는 첫 번째 방법은 몸을 움직이는 실행이다. 그리고 실행이 몸에 배면 습관이 되고 운명이 바뀌게 되는 것이다.

경쟁이 치열한 사회다. 수요가 공급을 초과해 만들기만 하면 팔리는 시절이 있었지만, 유사한 제품이 시장에 넘치고 공급이 수요를 초과하다 보니 소비자 선택을 받기 위해 다양한 커뮤니케이션 등 마케팅 전략이 사용된다. 그중 하나가 일상적인 제품을 특별한 제품으로 만들어 주는 차별화 전략이다. 상품이나 서비스 시장에서 살아남는 방법은 남과 다름, 즉 차별

성인데 이 요소를 만들어 내는 것이다.

마야 안젤루Maya Angelou는 "말이 몸 속으로 들어간다. 그래서 우리를 건강하게 하고, 희망적으로 만들고, 행복하게 하기도 한다. 혹은 우리를 늘 우울하고 화나게 하고, 마침내는 아프게 하기도 한다."고 했다. 그만큼 마음가짐이 중요하다고 할 수 있다.

앤더슨 에릭슨Anderson Ericsson 교수는 "전문 연주자와 아마추어 연주자 간 실력의 차이의 80%는 연습시간에 따른 것이다. 전문성은 지속적이고 훈련과 의도적인 노력으로 만들어진다." 고 했다. 단기적인 목표보다는 장기적으로 무언가를 계획했다면 목표를 단기로 잡은 것보다 훨씬 실행력에서 앞선다고 한다. 목표를 향해 가다 보면 실패도 경험한다. 그러나 성공은 보람이지만 실패는 교훈이다. 인생은 햇빛만 있는 것이 아니다. 매일 해만 뜬다면 사막이 되고 만다.

'인생에 미쳤다는 소리를 듣지 못했다면 진정 시도하지 않은 것'이라는 말이 있다. 실패가 있다는 것은 곧 시도했다는 것이다. 실패가 없으면 시도하지 않은 것과 같고, 넘어졌다 일어날 때 실천 의지의 근육은 더욱 강화된다. 목표를 이루기 위해서는 간절함과 목마름이 있어야 한다. 목마르지 않으면 게을러질 수 있다. 하루 주어진 시간은 누구에게나 같은 86,400초다. 매일 주어지는 시간을 어떻게 활용할 것인지는 본인에게 달렸다. 하루 10분만 잘 활용해도 한 달이면 5시간, 10년이면 600시간이다. 고수는 이른 새벽의 시간을 잘 활용한다.

차별화 시대에 살아남는 법

하버드대 마이클 포터 교수Michael Eugene Porter는 경쟁우위를 확보할 수 있는 수단으로 차별화, 원가 우위, 집중화 전략을 제시했다. 가격 이상의 가치로 고객의 브랜드 충성도를 높이거나, 가격으로 승부를 걸거나, 전체 시장이 아닌 특정 시장만 공략하는 방법으로 경쟁우위를 확보하라는 것이다. 차별화는 마케팅 전문가인 세스 고딘의 저서 『보랏빛 소가 온다』의 내용으로 설명할 수 있다. 들판에서 풀을 뜯고 있는 같은 생김새의 많은 들소 가운데 보랏빛 젖소처럼 시선을 확 잡아끄는, 그래서 사람들 사이에 화제거리가 되고 추천할 만한 리마커블Remarkable한 제품이나 서비스와 같다.

'되고 법칙'이라는 게 있다. "잘 안 되면 될 때까지 하면 되고, 길이 보이지 않으면 찾을 때까지 찾으면 되고, 된다고 하면 된다."는 것이다. 『시크릿』이라는 책에서도 간절히 바라면 온 우주가 힘을 모아 그 소원을 들어준다고 했다. 타고난 재능도 노력 없으면 소용이 없다. 다이아몬드도 갈고 다듬지 않으면 돌에 불과하다. 성공의 첫걸음은 능력이 아닌, 마음과 몸이 움직이는 것에서 시작된다.

아리스토텔레스Aristoteles는 "당신이 항상 정기적으로 하는 일이 바로 당신 자신이다."라고 했다. 지속적으로 노력하는 과정이 모여 곧 자기 자신이 된다는 것인데, 보이지 않는 노력이 모여 보이는 성과를 만들어 낸다는 것을 잊지 말아야 한다.

경쟁 사회에서 살아남으려면 꿈을 이루기 위해 실행해야 한
다. 정확한 꿈과 목표를 설정했다면 구체적이고 실제적인 계
획으로 몸소 부딪쳐보는 것이다. '경험은 돈 주고도 배울 수 없
는 선생님'이라고 했다. 아무리 이론적으로 생각하고 배워도
한 번 움직여서 부딪혀본 것과는 천지 차이다. 보이지 않는 것
을 보이도록 창조한다는 건 무에서 유를 창조하는 것이다. 남
다른 이해와 관찰, 자기만의 색깔이 있어야만 가능해지는 일
이다. 아무쪼록 차별화된 콘텐츠로 시장 점유율을 독점할 수
있기를 기대해 본다. 제일 중요한 것은 나만의 독창적인 생각

과 발상이다. 앞으로만 걷고 있는가. 오늘은 뒤로 걸어보길 추천하고 싶다. 사소한 것의 차이에서 큰 변화를 경험할 수 있을 것이다.

14

최초가 아닌
최고가 되라

　　연탄 소재 설치미술가로 알려진 서울 강남 판자촌 청년 이효열 씨는 남을 데워주는 연탄처럼 치열하게 살아야겠다는 마음으로 연탄재에다 생화를 꽂아 예술 작품을 만든다. 작품의 부제는 '뜨거울 때 꽃이 핀다'이다. 이는 연탄처럼 뜨거운 열정, 가슴 뛰는 삶을 살아야 한다고 말해주는 것 같다. 실제로 연탄처럼 치열하게 살아야 인생의 꽃을 피울 수 있다고 생각하여 연탄을 활용한 작품을 만들었다고 한다. 태백 탄광촌에서 광부의 아들로 청소년기를 보낸 필자로서는 각별할 수밖에 없다.

　　필자는 힘이 들 때는 고故 김수환 추기경이 한 학생에게 써주었다는 "장마에도 끝이 있듯이 고생길에도 끝이 있단다."라는 말을 마음의 빛으로 받아들인다. 가수 서영은의 '혼자가 아닌 나' 노래를 들으며 용기를 얻는다.

"행복은 늘 멀리 있을 때 커 보이는 걸, 힘이 들 땐 하늘을 봐 나는 항상 혼자가 아니야, 비가 와도 모진 바람 불어도 다시 햇살은 비추니까."

뜨겁고 치열한 삶: 최선

모든 것에 끝이 있고, 행운도 불행이라는 가면을 쓰고 온다고 생각한다. 삶이 힘들어질 때는 보다 겸손해지라고 하는 신호로 여기고, 역경을 생각할 시간이 없다고 잊으려 하면서도 역경없는 삶은 불행일 수 있다고 생각해 본다. 힘들지 않은 사람은 없을 것이다. 크든 작든 누구나 고민을 안고 산다. 심리학자 로로 메이Rollo May는 "인간은 길을 잃었을 때 더 빨리 뛰어가는 유일한 동물이다."라고 했다. 사람들은 내면의 불안이 있기 때문인데, 일이 잘 안 풀리고 어려움이 닥치면 조급해하지 말고 장맛비도 그치고 햇살이 비치게 된다는 진리를 되새길 필요가 있다.

유명인들도 시련이 다 있었다. 프랑스 패션 디자이너 크리스티앙 디오르Christian Dior는 절대로 디자이너가 될 수 없다는 말을 듣던 사람이었고, 스타벅스 창업자 하워드 슐츠Howard Schultz는 200번이 넘는 거절을 당했다. KFC 창업자 홀랜드 샌더스Harland Sanders도 치킨 조리법을 수백 번이나 거절당했으며, 20세기 최고의 베스트셀러 『바람과 함께 사라지다』를 쓴 마거릿

미첼Margaret Mitchell의 어머니로부터 머리와 용기만 있으면 일어설 수 있다는 말을 들으며 최고의 작품을 만들어 냈다. 『꿈꾸는 다락방』의 이지성 작가도 출판사로부터 80여 차례 거절을 당하기도 했다. 태어나고 죽는 것은 우리 마음대로 할 수 없지만, 그 삶의 방향을 정하고 무엇을 채울지는 우리가 선택할 수 있다.

안도현 시인의 「너에게 묻는다」 시를 보면 "연탄재 함부로 발로 차지 마라 너는 누구에게 한 번이라도 뜨거운 사람이었느냐"라고 묻고 있다. 생각 없이 걷어차던 연탄재도 뜨거웠던 과거를 간직하고 있다. 신은 게으른 자를 가장 싫어한다고 한다. 오늘이 마지막인 것처럼 최선을 다해 살아야 한다. 현재의 자신이 미래의 자신에게 묻는다. 뜨거운 삶이었냐고.

모방은 창조의 어머니

『엔트로피entropy』의 저자 제러미 리프킨Jeremy Rifkin은 지난 20만 년간 인류문명 발전은 모든 인류가 노력해낸 결과가 아니라 0.1%의 창의적 인간이 다른 사람은 생각하지 못하는 것을 생각했기 때문이라고 했다. 우리가 누리는 문명의 혜택과 변혁은 일부 창의적인 사람들에 의해 만들어진 것은 사실이지만 서서히 사회를 변화시킨 작은 혁신도 있다. 바로 창조적 모방을 통해서다.

"세상을 바꾸는 창조는 모방에서 시작되었다." 이 말은 우리가 너무나도 잘 알고 있는 아인슈타인의 말이다. 이는 자신의 성공 비결을 묻는 질문에 "내가 오늘날과 같은 업적을 남길 수 있었던 가장 큰 이유는 거인의 어깨 위에 올라서서 더 넓은 시야를 가지고 더 멀리 볼 수 있었기 때문이다."라고 말했던 뉴턴의 말과도 일맥상통한다.

한편 세계적인 소매업체 월마트의 창업자 샘 월튼Samuel Moore Walton은 자신의 자서전에서 "내가 한 일의 대부분은 남이 한 일을 모방한 것이었다."라고 했다. 실제로 월마트는 브라질의 한 업체를 모방해 백화점과 슈퍼마켓을 결합한 하이퍼마켓을 오픈한 것으로 알려져 있다.

창조적 파괴나 파괴적 혁신 같은 급진적 혁신은 쉽지 않다. 그만큼 기술의 진보가 이뤄졌고, 기존 것을 완전히 바꾸는 프레임이나 획기적인 혁신을 만들기가 쉽지 않기 때문이다.

마케팅 전문가 마크 얼스Mark Earls의 말처럼 독창적인 해결책보다는 영리하게 모방을 통해 최초가 아니라 최고가 되는 것이 나을 수 있다. 파블로 피카소Pablo Picasso는 저급한 자는 베끼고, 위대한 자는 훔친다."라고 했다. 표절하라는 얘기는 아니다. 표절하는 것과 모방하는 것은 다르다.

표절이 오직 자신의 이기적인 목적만을 위한 것이라면, 모방은 기존의 것에서 수정하면서 발전시키는 것을 말한다. 가져오는 것은 같지만 표절은 가져온 것을 숨기는 것과 같다. 피카소는 다른 화가의 화풍을 모방해 자신의 것으로 승화시켰다.

심지어 창조적 혁신가로 잘 알려진 스티브 잡스도 모방을 통해 아이팟을 만들어 냈다.

요즘은 환경의 변화 속도가 빠르다. 새로운 것에 집착하다 보면 이미 진부해지기 일쑤다. 이러한 변화와 혁신의 시대에는 새로운 것에만 몰두하지 말고 이전의 기술과 경험으로부터 지속적으로 변화시키려는 노력이 필요하다. 해 아래 새로운 것이 없다. 세상에 존재하지 않는 독창적인 제품을 만들겠다는 생각에 매몰되지 말고 앞서간 사람이나 기술을 바탕으로 한 단계 발전시키는 노력이 더 현명해 보인다. 이것이야말로 내 것을 만드는 영리한 모방이 아닐까. 단언컨대 이 세상에 단 한 명도 같은 사람은 없다. 각자가 유일무이한 존재이기 때문이다. 나만이 할 수 있는 생각과 나만의 색깔이 분명 있다. 끊임없이 모방하고 다시 창조하라. 최초는 못되어도, 최고는 되어보자. 하나에 깊이 빠져들어 몰두해보자. 이 세상에 단 한 권밖에 없는 내 인생이라는 책이 될 것이다.

당신은
누구입니까?

"다른 모든 것은 사람에게서 빼앗을 수 있지만
단 한 가지 빼앗을 수 없는 것은
바로 어떤 상황에서든 자신의 방식을 선택하고
자신의 태도를 결정하는 마지막 자유이다."

빅터 프랭클

4장

———————

나다운
인간

15

좋아하는 일과
잘하는 일 중에서 선택하기

　　인생은 끝없는 선택의 연속이다. 사소하게는 오늘 먹을 식단 선택부터 해서 진로 고민까지 어느 것 하나 선택 아닌 것이 없다. 후회 없는 선택을 하기 위해서는 어떻게 해야할까? 더군다나 둘 중에서 한 가지를 골라야 하는데 난감한 상황이라면 이 문제는 더 크게 느껴질 것이다. 동시에 두 가지를 다잡을 수는 없고, 한 개를 선택하면 나머지는 자동적으로 포기해야 하기 때문이다. 어떤 신택을 해야만 내가 한 선택에 만족할 수 있을까. 이 부분에 대해서 다뤄보고자 한다.

두 갈래의 길

　　로버트 프로스트Robert Frost의 시「가지 않은 길The road not taken」을 보면 숲속에 난 두 갈래의 길 중에 사람들이 많이 가지 않는 길을 선택했고, 그 선택이 자신의 삶을 달라지게 했다고 되어 있다. 반면 밀란 쿤데라 Milan Kundera의 저서 『참을 수 없는 존재의 가벼움』에는 인간의 삶이란 오직 한 번만 있는 것으로, 어떤 결정이 좋은 결정인지, 나쁜 결정인지 알 수가 없고, 결정을 비교할 수 있는 기회가 주어지지 않기 때문에 무엇이 올바른 선택인지 알 수가 없다는 표현이 있다.

공부에 지쳐있는 학생들을 보면 안쓰럽기 그지없다. 미래학자 앨빈 토플러 Alvin Toffler는 한국 학생들은 미래에 필요 없는 지식과 미래에 존재하지 않을 직업을 위해 하루 15시간 정도를 학원이나 학교에서 보내고 있다고 말하기도 했다. 늦은 시각까지 잠을 쫓으며 공부해야 하고, 공부 안하면 혼나고를 반복했다. 사회가 왜 이렇게 되었는지 묻는다면 아마도 지배적인 사유 구조 때문일 것이다. 자크 라캉이 말한 우리가 태어나기 전부터 다른 사람들이 만들어 놓은 성공 기준에 들어가기 위한 욕망 때문이라고 표현하는 것이 맞을 것 같다.

요즘 대학생들은 취업 때문에 걱정이다. 최근 대졸자들이 선호하던 조선·해운 산업의 부진은 안정적인 공무원을 더 선호하게 만들었다. 그나마 그렇게 힘들게 취업한 공무원이나 대기업 취업자들의 모습은 그리 행복해 보이지 않는다. 마치 책 『꽃들에게 희망을』에서 줄무늬 애벌레 얘기와 흡사한 상황이다. 줄무늬 애벌레가 자신의 삶이 의미 없다고 느끼면서 길을 떠나던 중에 다른 애벌레를 밟으면서 올라가는 애벌레 기둥을 발견하고 경쟁하면서 올라간다. 하지만 그곳에는 아무것도 없

돈키호테의 엉뚱한 생각은 21세기를 사는 우리에게 진정한 '창조성'과 '창발성'의 의미를 일깨워 주었다.

음을 알고 실망한다. 그러면서 자신의 진정한 가치를 깨닫고 나비가 된다. 우리의 삶도 마찬가지다. 취업경쟁을 통해 목표에 다다르지만 막상 자신의 의도했던 것이 아닌 경우가 많다.

이 시점에서 필자는 돈키호테처럼 이룰 수 없는 꿈을 꾸고, 견뎌낼 수 없는 고통을 견디며, 잡을 수 없는 별을 잡으려는 생뚱맞은 생각을 할 필요가 있다고 생각한다. 이것이 창조성이고 창발성이다. 우리는 현재 무슨 생각을 하고 있느냐가 자신의 미래 모습을 결정한다. 남들 다 하는 경쟁의 길을 갈 것인지, 아니면 『가지 않은 길』의 시구처럼 남들이 가지 않는 길을 선택해서 새로운 삶의 방향을 설정할 것인지를 고민해 봐야 한다. 그 선택한 것이 최선이 아닐 수도 있다. 확인할 방법 또한 없다. 설령 그 길이 험난하더라도 인생의 묘미는 넘어지지 않는 것이 아니라 일어서는 데 있다는 넬슨 만델라 전 대통령의 말처럼 넘어질 때마다 일어서는 탄력성resilience이 필요하다. 남들이 가지 않는 길을 선택해서 그것이 삶을 달라지게 했다는 흐뭇한 미소를 짓게 되기를 바랄 뿐이다.

좋아하는 일과 잘하는 일 중 선택 어려울 땐 가치를 따지자

직업 선택에 있어 좋아하는 일과 잘하는 일 중 하나를 선택해야 하는 딜레마에 빠지곤 한다. 좋아하면서도 잘하는 일이라면 별다른 고민이 없겠지만 대부분 두 가지 중 하나라는 데 고민이 있다. 직장인들을 보면 일이 적성에 맞아서 하는 경우는 상당히 드물다.

서울대 심리학과에서는 「좋아하는 일과 잘하는 일, 행복한 사람의 선택」이라는 연구 논문을 발표했다. 어떤 일을 해야 행복할까가 아니라 행복한 사람은 어떤 일을 선택할까에 대한 연구다. 그 결과 행복한 사람들은 그 일을 좋아하면 잘하는지가 중요하지 않았고, 일을 좋아하는 자체가 중요하다고 했다. 반면 행복하지 않은 사람들은 그 일을 잘하는지가 중요하고, 잘하지 못하는 일이면 그 일이 중요하지 않다고 했다. 개인의 행복도가 높을수록 잘하는 일보다 좋아하는 일을 더 중요하게 생각한다는 일관된 결과를 보여주고 있다.

미국 스콜리 블로토닉 연구소는 1960년부터 1980년까지 20년 동안 직업 선택 동기에 따른 부의 축적 여부 연구결과를 발표했다. 졸업하는 대학생을 대상으로 사회로 나아갈 때 무엇을 직업이나 직장 선택의 기준으로 삼겠느냐는 질문에 응답자의 83%는 '봉급이 많고 승진이 빠른 직장'이라는 현실적인 조건에 답을 했고, 17%는 '하고 싶은 일, 좋아하는 일' 즉 적성이라고 답했다. 이들의 20년 후 부의 축적 여부에 대한 추적 결과, 적성이라고 답한 학생 중에서 대부분의 백만장자가 탄생했다. 결국 좋아하는 일을 찾는 것이 그러지 않은 사람보다 성공하고 부자가 될 가능성이 절대적으로 높음을 보여줬다.

직업선택에서는 좋아하고 잘하는 일과 관련된 선택 기준뿐만 아니라 얼마나 지속적으로 직업을 유지할 수 있느냐도 중요하다. 만족감, 열정과 같은 내적 동기는, 좋아하고 잘하는 일에서 생기는 것이 아니라 그 일이 얼마나 가치 있느냐에 좌우되기 때문이다.

막상 좋아서 시작했던 일이더라도 싫증이 나면 그 일을 즐기지 못한다. 특히 좋아하는 일이 생계 수단이 되면 재미없는 일로 변하기 때문이다. 그리고 좋아하는 일을 직업으로 삼으면 그 일을 즐기지 못하고 싫어지는 것이 보통이며, 일에 동기를 부여하기가 쉽지 않다.

좋아하는 일과 잘하는 일 사이에서 딜레마에 빠지지 않는 방법은 보다 가치 있는 일을 선택하는 것이다. 자신이 중요하다고 믿는 일, 도전할 만한 가치가 있는 일을 할 때 열정이 생기고, 성장하는 자신을 보게 된다. 그래야 시련이 와도 극복할 수 있고 오래도록 직업을 유지하는 데 도움이 된다. 좋아하면서도 잘하고, 가치 있는 일이 있다면 망설일 필요가 없을 것이다. 그러나 자신의 재능으로 밥벌이를 하고 사는 사람들은 극소수에 지나지 않는다. 결국 근소한 차이로 결정의 기로에 서게 되는 경우가 많다. 페이를 좇자니 가치가 떨어지고, 좋아하는 것이 일이 된 순간 생각보다 일을 즐기게 되지 못하는 경우도 있다. 어떤 것이 맞다는 정답도 없다. 그럴 때는 생각해보라. 내가 어떤 일을 할 때, 살아있음을 느끼는지 그 일이 직업으로서 가치를 느끼게 하는지를 말이다. 생각이 복잡할 땐 메모하는 습관을 들여보라. 머릿속 고민이 생각보다 간결하게 정리되는 기쁨을 맛볼 수 있을 것이다.

돈키호테처럼 이룰 수 없는 꿈을 꾸고,
견뎌낼 수 없는 고통을 견디며,
잡을 수 없는 별을 잡으려는
생뚱맞은 생각을 할
필요가 있다고 생각한다.

이것이 창조성이고 창발성이다.
우리는 현재 무슨 생각을 하고 있느냐가
자신의 미래 모습을 결정한다.

16

나답게 산다는 것의 의미

　우연히 유튜브를 보다가 화들짝 놀란 적이 있다. 방탄소년단BTS 리더인 김남준RM이 UN에서 한 영어 연설 때문이었다. 유창한 영어실력뿐만이 아니라, 현대 사회를 사는 사람이라면 한번쯤 고민해봤을 이야기를 담고 있어서 더욱 화제가 되었다. 우리는 언제부턴가 다른 사람이 자신을 어떻게 생각하는지 신경을 쓰기 시작하면서 다른 사람의 시선으로 스스로를 바라보기 시작했다. 그러면서 꿈을 꾸는 일도 멈췄다. 다른 사람들이 만든 틀molds 속에 강제로 맞추기도 했다. 자신의 목소리를 내기는커녕 다른 사람의 말을 듣기 시작했다. 그 가운데 자신의 정체성에 대해 아무도 이야기하지 않았고 자신 또한 무관심했다No one called out my name, and neither did I.

　정신 차리고 내면의 목소리에 귀를 기울이라는 말에 내면의 울림이 있었다. 과거 실수를 한 것도 자기 자신이며, 오늘의 나도 과거의 잘못과 실수로 점철된 나 자신이다. 현재, 과거뿐만

아니라 미래의 나 자신까지 사랑할 것이다. 여러분에게 묻고
싶다. 나답게 산다는 건 무엇일까. 나 자신을 진정으로 아끼고
사랑한다는 건 무엇일까.

마음의 목소리를 따르라

무엇이 기대감으로 흥분케 하는지 그리고 가슴 뛰게 하는
것이 무엇인지. "당신은 누구_{정체성}입니까? 이제 여러분 내면의
목소리를 말해보세요_{What is your name? Speak yourself}"라고 끝을 맺
는다. 방탄소년단의 연설을 들으면서 2005년 6월 스탠퍼드대

2018년 9월 24일, 한국의 아이돌 방탄소년단(BTS) 유엔 연설은 많은 이들
에게 감동과 울림을 선사했다. 나를 사랑한다는 건 곧 나 자신이 되는 일이다.

학교 졸업식에서 한 스티브 잡스 연설문이 생각났다.

연설의 주요 내용은 이렇다. 다른 사람의 삶을 사느라 시간을 낭비하지 말고 타인 생각의 결과물에 불과한 도그마_{dogma}에 빠지지 말라. 다른 사람의 견해가 자신 내면의 목소리를 삼키지 못하게 하라. 가장 중요한 것은 가슴과 영감을 따르는 용기를 내는 것이다. 갈망하라, 그리고 우직하게 가라_{stay hungry, stay foolish}이다. 우리가 추구하는 목표는 스스로 필요에 의한 것과 외부에서 요구하는 조건에 맞추기 위한 것 즉 본질적 목표와 비본질적 목표로 나눌 수 있다.

추구하는 그 자체로 행복감을 주고 한 개인이 근본적으로 추구하는 가치에 관련된 것이 본질적 목표라 한다면 자신의 필요에 의한 동기가 아니라 외부적 동기로 채워진 목표가 비본질적인 목표라 할 수 있다. 비본질적 목표와 관련된 이야기가 있다. 어느 심리학자는 집 앞에서 공 차는 아이들의 소음 때문에 연구에 방해를 받고 있었다. 하루는 아이들에게 1만원을 주었고 다음날에는 5천원, 그 다음날에는 주지 않았더니 아이들이 집 앞에서 공을 차는 것을 멈췄다.

아이들이 처음 축구를 시작한 것은 즐거움이라는 내재적 동기 때문이었지만 축구를 하면 돈을 받게 되면서 놀이가 아니라 일이 되어 버렸다. 내재적 동기가 보상을 받아야 뭔가를 하게 되는 외재적 동기로 바뀌면서 벌어진 일이다. 방탄소년단과 스티브 잡스의 연설의 공통적인 내용은 다른 사람의 시선이 아닌 내면의 목소리에 귀를 기울이라는 것 즉 본질적인 목표를 추구하고 자신의 정체성을 찾고 일을 진행함에 있어서 스스로 마음과 직관을 따를 필요가 있다는 것이다.

반드시 꿈과 목표는 내재적 동기에서 시작돼야 한다. 다른 사람의 목소리나 지위, 권력가 같은 외재적 보상에 의하면 불행해질 수밖에 없다. 일반적으로 사람들이 갖고 있는 기준틀에 기를 쓰고 매달리는 경향이 있다. 이런 현상을 생각의 관성 inertia of ideas 이라 한다.

다른 사람들이 만든 틀이나 도그마에 빠지지 말고 우직하게 갈 필요가 있다. 오로지 미래의 자신과 경쟁한다는 미켈란젤로의 말처럼 다른 사람이나 조건과 비교하지 말고 자신만의 정체성을 찾아야 한다. 나의 경쟁 상대는 바로 어제의 나 자신이다.

생각의 힘을 펼치는 3가지 방법

"천 번을 외치면 내 것이 되고, 만 번을 외치면 그대로 이루어진다."는 인디언 격언이 있다. 목표를 향한 시작은 생각에서부터고, 미국의 심리학자인 윌리엄 제임스가 말한 "생각이 바뀌면 행동이 바뀌고, 행동이 바뀌면 습관이 바뀌고, 습관이 바뀌면 인격이 바뀌고, 인격이 바뀌면 운명이 달라진다."는 말과 일맥상통한다.

심리학 용어에 플라시보 효과 placebo effect 라는 것이 있다. 일명 '위약偽藥효과'라고 하는데, 약효가 전혀 없는 약도 진짜라고 생각하고 먹으면 병이 낫는 현상을 말한다. 약 성분 때문이 아니라 심리적인 요인에 의해 몸 상태가 호전되는 것이다. 긍정적인 생각이 호르몬 작용을 도와 면역을 강화한 결과라고 볼 수 있다. 이와 반대로 노시보 효과nocebo effect라는 것도 있다. 진짜 약을 먹더라도 효과가 없다고 생각하면 약효가 나타나지 않는 현상을 말한다. 안된다고 생각하면 될 일도 안 된다는 말이다. 우리는 생각을 지배할 수 있다. 그다음부터는 생각이 우리는 지배하고, 보는 것이 믿는 것이 아니라 믿는 것이 곧 보는 것이 된다.

생산적인 생각을 위한 몇 가지 방법을 제안한다. 첫째, 단순하게 생각하고 명료화할 수 있어야 한다. 그리고 말보다는 사색을 통해 마음의 소리를 들어야 한다. 우리의 행동은 의식보다는 무의식에 의해 유발된다. 행복한 후에 의식, 즉 이성이 행동을 합리화하는 경향이 있다. 인간의 언어능력이 크게 발달한 이유도 언어로 자신의 행동을 합리화하면서부터라고 한다. 따라서 말보다는 사색을 많이 하고 생각을 명료하게 해야 한다.

둘째, 반복해서 생각하고 가치의 우선순위를 정해야 한다. 반복적인 생각을 통해 생각의 오류를 수정해 나가야 한다. 대나무는 특성상 일시에 자라게 되면 부러질 수밖에 없다. 그래서 마디를 만들면서 자란다. 항상 제3자의 입장에서 자기 생각을 객관화할 수 있어야 한다. 생각은 필요하지만 무모한 생각은 지양해야 한다. 마디를 만들어 나가듯이 스스로 자신의 생각을 단계별로, 시기별로 진단해야 한다.

셋째, 당초 마음먹은 생각들이 지속으로 환류 feed-back 되어야 한다. 우리가 생각한 결과는 바로 나오지 않는다. 농사를 예로 들면 씨앗을 뿌리자마자 열매를 기대하는 것과 같다. 거름을 주고, 가꾸는 시기가 필요하다. 생각의 결과에 대해서는 철저하게 분석할 필요가 있다. 그래야 목표한 방향대로 좌표를 수정해 나갈 수 있다.

나답게 살기 위해서는 무엇보다 자신과 많은 대화를 나눠야 한다. 그래서 내면의 목소리가 향하는 곳으로 나아가야 한다. 당연한 말이지만, 나 자신을 사랑해야 한다. 생각하고 결정하고 행동하는 건 그다음이다. 나다워질수록 나 자신과 가까워질 것이다. 많이 쓰고 생각하고 선택하기를 게을리하지 말자. 아직까지 내면의 목소리를 듣지 못했다면 더욱 간절하게 이 시간을 보내야할 것이다.

17

보이지 않는 것에
집중해야한다

　　어쩌면 결정하는 능력이 오늘을 사는데 더욱 요구되는지 모른다. 주위를 보면 누구나 할 것 없이 결정하는데 어려움을 겪는 경우가 많다. 이름하여 스스로 결정할 수 없는 장애, 즉 햄릿 증후군이다. 요즘은 선택과 결정을 대신해주는 스마트폰 앱App까지 등장했다. 왜 우리는 결정장애를 얻게 되었을까? 어쩌면 우리는 스스로 생각하는 훈련이 안되어 있는지도 모른다. 심지어 결정 무기력 세대가 되었다. 원인은 무엇인지 앞으로 어떻게 개선해야할 지를 살펴볼 필요가 있다.

무엇을 선택해야 할지 모르는 당신에게

　아이들은 어릴 때부터 부모들이 정해주는 대로 생활한다. 공부는 물론, 놀이까지 선택해준다. 이러다 보니 놀라고 해도 놀

줄을 몰라 늘 컴퓨터 게임만 한다. 어릴 때부터 말뚝에 매인 상태로 성장한 코끼리가 줄을 풀어도 그 말뚝 주위를 벗어나지 못하는 것과 같다. 아이들 옆에서 이것 해라, 저것 해라 참견하는 부모들 때문에 길들여지고, 학습된 무기력이 만들어 낸 결과다. 최근에는 결혼을 위한 상견례를 당사자들보다 부모들이 먼저 갖는다고 한다. 자식의 장래를 성인이 되어서까지 챙기고 있다.

성인의 경우도 선택에 어려움을 겪는 것은 매한가지이다. 정보의 홍수 속에 선택지가 많다 보니 정보처리과정에 문제가 발생되고 있다. 업무 성과에 대한 압력이 높아지고, 처리할 업무량이 많아지면서 뇌의 정보처리 용량의 한계 때문에 집중력이 떨어지고 애써 결정을 보류하는 경향이 높아지고 있다. 정보의 과잉은 정보 처리를 어렵게 만든다. 소비자를 대상으로 한 실험 결과 선택할 것이 많은 매장에서 보다는 선택에 대한 고민이 적은 매장에서 더 많은 구매가 이뤄졌다. 처리할 정보가 많은 경우, 처리 능력과 분석 능력이 떨어지기 때문이다. 데이터 스모그Data Smog라는 신조어가 있다. 정보 과잉이나 정보 공해 등으로 일컫는데, 매일 좋은 글을 받지만 좋은 글도 넘치다 보면 그 정보를 외면해 버리게 된다.

매사에 확신이 없는 세대를 메이비Maybe 제너레이션이라고 한다. 일명 뭘 해야 할지 모르는 결정 무기력 세대다. 이러한 결정 무기력 장애를 해소하기 위해서는 첫째, 정확한 목표설정과 명확한 자기 확신이 있어야 한다. 나아가고자 하는 방향이 정확하지 않으면 망설일 수밖에 없다. 뚜렷한 목표가 없고 확신이 없을 때는 방향을 잃고 갈등할 수밖에 없다. 모든 일은 확신에 따라 행동하고 결과를 두려워해서는 안된다. 믿음은 걱정의 해독제라는 말이 있다. 상황에 대한 통제력을 갖는 것을 선호하기 때문에 두려움을 갖지만, 목표와 결과에 대한 믿음과 확신으로 이겨내야 한다.

둘째, 가치를 정립하고 소신 그리고 확신을 가져야 한다. 선택하고 후회하는 경우를 많이 본다. 선 선택, 후 가치 정립을 하기 때문이다. 따라서 먼저 가치를 정립하고 뭔가를 선택해야 한다. 결정함에 있어 자신만의 소신도 필요하다. 모 대학교 교수의 글을 보면, 할까 말까 할 때는 하라고 했다. 인생은 늘 망설임과 결정의 연속이다. 누군가 선택을 하는데 도움을 줄 수 있어도 그 결과는 온전히 스스로의 몫이다. 좋은 선택을 통해 후회 없는 삶이 되기를 바라면서 에리히 프롬의 말을 되새겨 본다. "운명이 당신에게 도달하도록 허용한 지점이 어디든지 간에 지금 존재하는 곳에서 완전히 존재하라."

사람의 성격은 '보이지 않는 것'이 더 많다

일반적으로 상대방의 성격을 파악하는 데 짧은 시간이면 충분하다고 생각한다. 외향적인 사람은 활발하고 사회성이 뛰어나 통상적으로 많은 친구를 사귄다고 여긴다. 하지만 그렇지 않은 경우가 많다. 반면 내향적인 사람은 혼자 있고 싶어 하고 자극에 둔감할 것이라 생각한다. 자극에 대한 민감도가 떨어질 것으로 여기는 경향도 있다.

성격을 외향성과 내향성으로 분류하는 기준은 마음의 에너지가 어느 방향으로 움직이느냐다. 외향성은 에너지가 외부로 향하는 것이며, 내향성은 에너지가 내부로 향하는 것이다. 영국의 심리학자인 아이젱크는 내향적인 사람들이 외향적인 사람들보다 대뇌피질의 각성 수준이 더 높고, 외부 자극에 더 민감하게 반응한다는 것을 레몬 실험을 통해 밝혀냈다. 실험자의 혓바닥에 레몬즙을 떨어뜨렸는데, 내향적인 사람이 침 분비가 더 많았다. 내향적인 사람들은 소극적이고 표현을 잘 못하는 성격이지만 외향적인 사람들에 비해 반응속도가 더 빠르다는 것을 보여준다.

자신도 모르게 내재된 성격은 어떤 예기치 못한 상황을 만날 때, 촉발되기도 한다. 말하지 않음도 언어이고, 말하지 않는 생각 또한 언어의 일환이다. 그럴수록 보이지 않는 것에 집중해야만 한다. 또한 항상 보이는 것이 다가 아님을 인식해야 할 필요성이 있다. 세상에 중요한 가치는 사실상 보이는 것보다 보이지 않은 것일 가능성이 훨씬 많기 때문이다.

18

후회는
자신과의 심리전

살다 보면 여러 가지로 후회할 일이 많이 생긴다. 후회는 두 가지로 나눌 수 있다. 내가 왜 그랬을까? 하지 않는 게 더 좋았을 걸이라고 생각하는 행동 후회, 내가 그때 왜 그걸 하지 않았을까? 했더라면 좋았을 텐데 하는 비행동 후회다. 예측된 후회라고도 하는데, 특정 행동을 수행하거나 수행하지 않았을 때 기대하거나 예측되는 정서나 감정이다. 대부분 하지 않은 선택에 대해 주로 아쉬움을 갖게 되는데, 이런 점에 있어서 후회 하더라도 먼저 부딪혀보는 게 최선의 방법일 수 있다.

1994년 미국의 심리학자 토마스 길로비치 Thomas Gilovich와 빅토리아 메드백 Victoria Medvec이 후회와 관련해 조사했더니 75%는 하지 못한 것에 대한 후회였고, 나머지 25%는 하지 말았더라면 하는 과오에 대한 후회였다. 우리는 늘 후회하면서도 계획부터 세운다. 그러나 그 계획은 의도대로 되지 않을 때가 있다. 시간이 모자라거나 일정이 늦어지곤 하는데 이러한 현상을 미국 심리학자의 이름을 따서 '호프스태터의 법칙Hofstadeter's Law'이라고 한다. 늦어질 것이라고 예상하고 충분한 시간을 감안하더라도 늘 늦을 때를 일컫는다. 계획의 오류에서 벗어나는 길은 계획이 잘못 수립될 수도 있다는 사실을 받아들이고, 꼼꼼히 일정을 계획하라는 것이다.

올 한 해도 며칠 남지 않았다. 기존 계획은 마무리하고 다음 해의 계획을 수립할 때다. 너무 높은 목표보다는 작은 목표를 세우고 달성하면서 느끼는 행복을 누리길 권한다. 목표에 집중할 것이 아니라 노력하는 모습을 상상하는 게 목표 달성에 더 도움이 된다. 후회도 자기와의 심리전이다. 하지 않은 것에 대한 후회하지 않도록 목표한 것은 이루었으면 한다.

지식근로자의 낭패

곤란한 일을 딩하거나 일이 곤란해졌을 때, '낭패狼狽'를 당했다고 한다. '낭패'의 어원이 재미있다. 얼토당토않은 일을 가리켜 하는 '어처구니가 없다'는 말의 '어처구니'가 맷돌의 손잡이를 뜻하는 말인 것처럼 말이다. 낭패의 사전적 의미는 '계획하거나 기대한 일이 실패하거나 어긋나 딱해진 경우'다. '낭狼'과 '패狽'는 각각 이리과에 속하는 상상의 동물이다. 낭狼은 머리가 좋지 않고 뒷다리가 없거나 짧다. 이에 반해, 패狽는 꾀가 많지만 앞다리가 없거나 짧다. 그러다 보니 생존을 위해서는 서

2부 당신은 누구입니까?

로의 단점을 보완하고 장점을 활용하며 살아갈 수밖에 없었다. '낭狼'은 기꺼이 '패狽'를 등에 업고 다녔다고 한다. 마음이 맞지 않으면 생명까지 위협받는 상황에 놓이기 때문이다.

지금은 지식과 정보가 넘쳐나는 시대다. 지식도 창조경제에 맞춰 확대 재생산되고 있다. 아침이면 신문과 같은 전통 채널 외에 페이스북과 같은 개인 미디어를 통해 다양한 분야의 사람이 올린 글을 읽으며 하루를 시작한다. 좋은 아포리즘 같은 문구는 별도의 저장 공간으로 공유시켜 오랫동안 읽는다. 이렇다 보니 지식이 소화되기도 전에 새로운 지식을 받아들여야 하는 정보 소화불량과 정보 스트레스에 시달린다. 더 많은 정보에 접하면 접할수록 마치 소금물을 먹은 것과 같이 더 많은 정보와 지식을 찾게 된다.

문제를 스스로 해결하기보다는 크라우드 소싱crowd sourcing과 같은 외부에 의존해 문제를 해결하려는 경향이 강해진다. 정해진 기준에 도달하면 스스로 칭찬함으로써 자신의 그 행동을 확고히 하는 자기강화self-reinforcement 노력을 하기보다는 많은 사람들과 인터넷으로 연결된 그물망에 달라붙어 산다. 오히려 더 영혼 없이 살아가는 경향조차 보인다. 프랑스의 사회학자인 자크 아탈리Jacques Attali가 저서 『21세기 사전』에서 말한 디지털 노마드처럼, 현대인들은 마치 유목민처럼 디지털 기기 속에서 몸도 마음도 떠돌아다니고만 있다. 일종의 유리감옥이다.

지식근로자는 지식을 가공해서 유통시키며, 소비시키면서 부가가치를 만들어내는 사람을 뜻한다. 우리는 사냥과 육체노동을 지나 지식노동을 통해 생존을 이어가고 있다. 기업에서는 지식경영이라는 방식으로 대외 경쟁력을 갖춘 지식근로자를 만들어 내는 노력을 하고 있고, 지식의 표준화가 어렵고 관리가 쉽지 않다 보니 지식근로자의 관리를 위해 동기부여를 통한 자율성 확보를 위한 권한 위임empowerment에 많은 관심을 두고 있다. 이렇다 보니 기업이든 근로자든 지식을 캐려 노력한다. 그러나 지식의 감가상각 기간이 짧아지고 있다. 대학 입학 당시 지식의 절반은 졸업할 때면 낡은 지식이 된다는 우스갯소리가 있을 정도다. 따라서 끊임없이 공부하고 사고해야 한다.

삼성전자와 시장선점 경쟁으로 관심이 높은 중국 통신설비 회사인 '화웨이'의 런정페이RenZhengfei 사장은 "무엇이든 항상 변하기 마련이다. 관념도 항상 변하므로 잠시라도 생각을 멈춰서는 안된다."고 하였다. 경영학의 그루인 피터 드리커는 20대 초반부터 3~4년 단위로 분야를 바꾸며 전문가가 되었다.

직장인이라면 점심시간 또는 퇴근 후에 공부하는 샐러던트기 되어야 한다. 열심히 사는 사람의 신조는 열성과 공부는 배신하지 않는다는 것이다. 지식의 눈과 같은 역할을 한다. 문제해결의 실마리도 제공해준다. 이러한 지식이 없다면 판단력이 흐려지고 방향성을 잃을 수 있다. 낭狼'이 '패狽'를 등에 업고 다니듯이 지식근로자는 지식을 마음과 머리에 두고 다녀야 한다. 실패한 고통보다 최선을 다하지 못했음을 달았을 때 느끼는 고통이 더 크다. 끊임없이 공부하고, 최선을 다하는 습관이 필요하다. 그래야 절대 낭패를 당하지 않는다.

19

당당하게
내 인생을 사는 것

하늘은 높고 선선한 바람이 불어오는 것을 보면 가을이 왔음을 느낄 수 있다. 아침저녁으로 서늘한 날씨에 마음의 허기를 채우는 건 독서밖에 없을 것이다. 가을은 모든 것이 여무는 시기다. 사람들도 곡식처럼 생각이 여무는데 필요한 자양분을 독서를 통해 얻을 수 있다고 생각한다. 그래서 9월을 독서의 달로 맞이하는지도 모른다. 대부분 성공한 사람들은 공통적으로 책을 가까이한다. 스티브 잡스는 제일 좋아하는 것이 독서라고 할 정도로 책을 좋아했다.

독서는 상상력을 자극하고 창의적인 사고를 가능케 한다. 그런데 우리나라 사람들의 독서량은 세계 최하위 수준이다. 월평균 독서량은 1권도 되지 않는다고 하는데 책을 읽는 것도 의지의 문제고 습관의 문제라 생각한다. 하루에 15여 분이면 연간 30여 권 이상 읽을 수 있다.

독서는 어떤 의미를 지닌 것일까. 미국 소설가 수전 손택

Susan Sontag은 "독서는 여흥이고, 휴식이며 위로"라고 했다. 그리고 "모든 걸 잊고 떠날 수 있게 해주는 작은 우주선"이라고도 했다. 필자는 책을 읽으며 몰입할 때 느끼는 행복과 새로운 사실을 알게 될 때 느끼는 희열은 책을 읽는 사람만이 누리는 호사라고 생각한다.

일본의 학자 나르케 마코토는 『초병렬 독서법』을 주장했다. 열권의 책을 동시에 읽는 방법인데 다양한 지식을 접하면서 획기적인 발상이 가능하다고 봤다.

책을 읽을 때는 날짜와 그해 몇 번째 읽는 책인지 표시해 둔다. 다 읽었을 때 책의 마지막 부분에 시간과 장소를 기록해 둔다. 읽다가 좋은 구절을 만나면 밑줄을 친다. 밑줄 친 부분을 별지에 옮겨 다시 읽기 위함이지만, 어린 자녀가 커서 같은 책을 읽다가 밑줄 그어진 부분에서 맞이할 감회를 생각하면 밑줄도 조심히 칠 수밖에 없다.

독일의 극작가 마르틴 발저Martin Walser는 "우리는 우리가 읽은 것으로부터 만들어진다."고 했다. 생각이 감정을 낳고, 감정이 행동을 낳고, 행동이 결과를 낳는다는

모든 일은 생각하기 나름이고, 독서는 성장과 변화를 위해서라도 반드시 들여야 하는 습관이다.

말처럼 책 속의 글이 사람의 마음을 움직이고 행동을 유발하기 때문일 것이다. 그리고 인생은 직접 경험하거나 독서를 통해서 간접 경험을 통해 배운다. 따라서 독서를 하지 않는 것은 인생의 절반을 모르는 것과 같다. 아는 만큼 보이는 것처럼 많이 읽고 생각할수록 보이지 않았던 부분도 보일 것이다. 그것이야말로 독서의 재미이고, 독서가 주는 특별한 혜택이다.

책을 보면 미래의 길이 보인다

'매년 365권 책 읽기'가 나의 여러 목표 중 하나다. 일하면서 매일 책 한 권을 읽는다는 것이 쉬운 일은 아니지만, 조금이라도 더 책을 가까이하기 위한 의지의 표현이다. 틈틈이 한 권, 두 권 정독하다 보면 한 해 120여 권을 읽는다. 이제는 책 읽는 것에 속도가 붙고 올해는 몇 권까지 읽을 수 있을까 하는 기대와 설렘, 독서를 통해 변화되는 생각의 차이를 느끼면서 책 속에 길이 있다는 말을 실감한다.

요즘은 독서에 방해를 주는 요소들이 많다. 스마트폰 사용 확산과 영상물 시청 증가는 주의력을 산만하게 만들어 독서처럼 장시간 몰입이 필요한 상황을 방해한다. 스마트한 기기들이 넘치다 보니 사색보다는 검색을 하게 되고, 우리 뇌는 탐구보다 탐닉에 더 반응한다. 독서는 의지가 습관화되어야 한다고 생각한다.

의지가 습관이 되기까지는 상당한 시간과 인내가 필요하다. 독서하는 습관은 대부분 후천적으로 길러진다. 많은 책을 읽으면서 스스로 깨달은 것이 있다면, 독서하는 습관은 생각보다 몸에 먼저 익숙해져야 한다는 것이다. 독서가 일상이 되기 위해서는 어느 정도 몸으로 공을 들여야 한다.

우리 기억은 실제적 경험 또는 간접적 경험들로 채워져 있다. 직접 몸으로 경험한 실제적 경험도 중요하지만, 책을 통해 다른 사람들의 생각을 읽으며 의식을 확장하는 간접적 경험도 중요하다. 또한 요즘은 대화 능력이 중시되는데 표현전달의 기본은 어휘와 문장이다. 말을 적재적소에 구사하기 위해서는 먼저 어휘와 문장을 많이 접해야 한다. 이러한 환경은 독서를 통해 가능하다.

빌 게이츠Bill Gates는 "하버드 대학 졸업장보다 중요한 것은 책읽는 습관이었다."고 했고, 요한 볼프강 본 괴테Johann Wolfgang von Goethe는 "나는 독서하는 방법을 배우기 위해서 80년이라는 세월을 바쳤는데도 여지껏 그것을 다 배웠다고 말할 수 없다."고 했다. 독서하는 습관이 그만큼 중요하고 쉽게 습관화되지 않는다는 것을 알 수 있다.

세상의 변화 속도는 점점 빨라지고 있다. 빠르게 반응하고, 빠르게 대응하는 능력을 길러야 한다. 옛날 사람들은 원시시대 사바나에서 사냥하면서 생존하는 방법을 찾았다면, 현대를 살아가는 사람들은 책에서 성장하는 법을 찾을 수 있다. 또한 독서를 통해 최신 지식을 얻을 수 있다. 지식도 일정 시간이 지나면 쓸모없어지고 진부해진다.

독서는 그 사람의 생각과 의식 수준을 결정한다. 인쇄된 글자를 읽으며 그 속에서 통찰력을 발견할 수 있다. 중국 시인 두보는 만권의 책을 읽으면 신들린 듯이 글을 쓸 수 있다고 했다. 책 한 장에 설계를, 책 한 권에 미래가 있다는 생각으로 책 속에서 희망을 찾아보자. 머리로 깨달은 것은 지식에 그치지만, 마음으로 받아들인 것은 변화로 이어진다.

습관이 운명을 좌우한다

모든 위대한 사람들의 하인이고 모든 실패한 사람들의 주인인 것이 있다. 바로 '습관'이다. 습관은 사람을 위대하게도, 실패하게도 만든다. 미국 듀크대 연구진에 따르면 우리의 행동 40%는 이성적인 의사결정의 결과가 아니라 반복적이고 무의식적인 패턴과 같은 습관 때문이라고 한다.

습관에 의해 일어나는 행동 비율이 이보다 더 높을 것으로 판단할 수 있는 사례가 있다. 미국의 행동주의 심리학자인 스키너Burrhus F Skinner가 비둘기를 대상으로 조작적 조건화Operant Conditioning에 관해 실험한 내용이다. 이 실험에서 단추를 누르면 모이가 나오도록 했더니 비둘기는 모이에 반응하고 계속해서 단추를 누르는 행동을 했다. 이는 이성적인 판단이기보다는 반복적이고 학습에 의한 행동이라 할 수 있다. 이처럼 사람에게도 삶 속에서 형성된 신념이나 태도는 습관이 되어 살아가면서 지속적으로 의사결정 과정에 영향을 준다. 결국 이성적으로 내린 결정도 습관화된 행동의 결과라고 보면 우리 행동의 대부분은 습관에 의해 유발된다고 할 수 있다. 무의식적으로 드러냈던 내 행동 속에 몰랐던 습관이 있을 수 있는 것이다.

한편 우리의 뇌는 판단하는 데 소모되는 에너지를 최대한 절약하는 방법을 찾는다. 이러한 일련의 과정이 습관인데 새로운 것에 대한 인지적인 노력을 줄이기 위해서라고 한다. 이러한 성향을 경영학에서는 인지적 수전노 Cognitive Miser 라 한다.

인간은 자기보다 훨씬 덩치가 큰 코끼리를 길들여 자기 마음대로 지휘한다. 코끼리를 길들이는 데 엄청난 힘이 필요할까? 그렇지 않다. 덩치 차이는 날지언정 코끼리를 길들이는 데에는 그다지 큰 힘이 필요하지 않다. 말뚝을 벗어날 힘이 없는 어린 코끼리를 말뚝에 묶어서 길들이면 나중에 성인 코끼리가 되어 큰 힘이 생긴 후에도 말뚝에서 벗어날 생각을 하지 않는다. 말뚝에서 벗어나지 못하는 반복된 환경에 적응하면서 스스로 탈출을 포기하는 학습된 무기력에 빠지게 된다.

이것이 바로 긍정심리학 Positive Psychology 의 대가 마틴 셀리그만 Martin E. P. Seligman 이 말한 학습된 무기력 learned helplessness 이다. 파이크 신드롬 Pike Syndrome 이라 부르는 실험을 보더라도 습관이 행동을 결정하는 데에 얼마나 지대한 영향을 미치는지 알 수 있다. 이 실험은 파이크라는 물고기를 대상으로 한 것인데,

수족관 중앙에 유리 칸막이를 설치하고 반대편에는 파이크의 먹이를 두었다. 먹이를 먹으려고 할 때마다 유리 칸막이에 부딪혀 번번이 실패한 파이크는 더 이상 먹이를 잡아먹으려고 노력하지 않았다. 이후 유리 칸막이를 제거했는데도 파이크는 먹이를 먹으려는 시도조차 하지 않았다.

'습관은 처음에는 거미줄 같다가 나중에는 쇠사슬처럼 된다'는 스페인 속담이 있다. 한번 굳어진 습관은 쉽게 바뀌지 않는다는 말이다. 따라서 나쁜 습관은 최대한 조기에 고쳐야 하고, 좋은 습관을 들이기 위해 노력해야 한다. 한번 생긴 습관은 쉽게 바꾸지 못한다. 바뀐 것 같았던 습관도 조금만 방심하면 금방 기존의 상태로 돌아가 버리고 만다. 그래서 습관을 개선하기 위해서는 반복적이고 의식적인 노력이 필요하다. 그리고 인지적인 노력이 더해져야 한다.

"현대인은 가슴에 아무런 별도 품고 있지 않을 뿐만 아니라, 새로운 별을 잉태할 수도 없다."고 프리드리히 니체 Friedrich Nietzsche는 말했다. 니체는 저서『차라투스트라는 이렇게 말했다』에서 현재의 행복에 안주하는 사람을 마지막 인간 last man 이라고 했고, 새로운 가치를 창조하는 능력을 가진 사람을 '초인'이라 했다. 다른 이의 가치를 쫓는 사람이 마지막 인간이라면 능동적으로 가치를 추구하는 인간이 초인이다. 자신을 넘어서는 무엇 something beyond oneself이 되어야 한다.

실존의 가장 커다란 결실은 의도적으로 기존과 다르게 행동하는 것일 수도 있다. 인지적인 수고를 하는 것이다. 앞서 말한

스키너의 실험처럼 행동이 개선되었을 때는 자신에 대해 긍정적인 보상을, 개선되지 않았을 때 처벌을 통해 자신의 행동을 의도적으로 바꾸려는 노력도 도움이 된다. 나쁜 습관을 바꾸려는 노력이 습관화되면 스스로의 운명이 바뀔 수 있다.

당당하게 내 인생을 사는 것이 최고의 복수다

통계청이 발표한 「2018 청소년 통계」를 보면 2007년부터 9세부터 24세까지 청소년의 사망 원인 1위는 고의적 자해, 즉 자살이다. 2016년 기준 10만 명당 7.8명이 스스로 생명을 포기하고 있다. 자살 충동을 느낀 청소년은 4명 중 1명일 정도며 극단적인 선택의 원인은 다양하지만 서울시 통계에 의하면 학업에 따른 스트레스, 미래에 대한 불안, 부모님들의 지나친 간섭 순이었다.

인생은 가까이 보면 비극이지만, 멀리서 보면 희극이라는 찰리 채플린의 말처럼 당장은 힘들다고 생각하지만, 역경이 경력이 되는 것처럼 지나고 나면 추억이 되는 경우가 많다. 질 테일러 하버드대 박사는 화가 나 있거나 분노 또는 절망의 상태에서 90초만 참아낸다면 그 감정은 식어버린다고 했다. 화를 내는 순간 스트레스 호르몬이 온몸의 혈관을 타고 퍼지는데, 90초가 지나면 저절로 사라진다는 것이다. 순간적인 분노를 못 이겨 스스로 삶을 포기한다면 결국 남아 있는 사람들에게 큰 상처를 남기게 된다. 유서 중에 '죽어서도 복수하겠다'는 내용이 있다. 자살을 살아있는 사람들에 대한 복수로 실행한다면 이것은 전혀 복수가 되지 않는다. 당사자는 목숨을 바칠 만큼 절실한 문제지만 가해자에게는 그리 중요한 문제가 아니다. 주목할 것은 가해자들은 쉽게 잊어버린다고 한다. 자살하는 사람만 손해다. 복수는 당당하게 잘 사는 모습으로 하면 된다. 조지 허버트가 말한 것처럼 "잘 사는 것이 최고의 복수"인 셈이다.

외로움 때문에 극단적인 선택을 하는 경우도 있다. 정호승 시인의 시 「수선화에게」는 우리에게 많은 생각을 던져준다. "산다는 것은 외로움을 견디는 일이다. 가끔은 하느님도 외로워 눈물을 흘리고, 산 그림자도 외로워 하루에 한 번씩 마을로 내려 온다." 라고 했다. 산다는 것은 외로움을 견디는 것이다. 이 세상에서 가장 슬픈 것은 너무 일찍 죽음을 생각하게 되는 것이다. 죽음으로 복수를 하려거든 꼭 기억했으면 한다. 최고의 복수는 살아서 잘 사는 모습을 보여주는 것이라고. 주어진 하루를 살며, 최선을 다하는 것이라고. 당당하게 내 인생을 살아내는 것이라고. 누군가의 삶과 비교하며 곁눈질하기엔 인생이 너무 짧다. 타인으로부터 향하던 시선을 온전히 나 자신에게로 돌릴 때, 모든 인생의 문제도 풀리게 될 것이다.

"문제는 목적지에 얼마나 빨리 가느냐가 아니라,
그 목적지가 어디냐는 것이다."

메이벨 뉴컴버

5장

정체성과
인간

20

나무는 나의 근원을
알고 있었다

"주어진 시간을 가지고 무엇을 할지 결정하는 것은 오직 자신의 몫이다."라는 말은 우리의 존재가 시간 안에 있지만, 그 시간은 누구의 것도 아닌 각자의 것이라는 뜻이다.

우리 모두는 생명 또는 수명이라는 자본을 갖고 태어난다. 이러한 자본을 바탕으로 자산을 만들기도 하고 부채를 만들기도 한다. 대부분의 사람들은 기업에서처럼 재무상태표를 만들면서 살지는 않는다. 회사의 중장기 발전 전략을 수립하는 당사자조차도 정작 본인의 인생 중장기 전략을 수립하는 데 시간을 투여하지 않는다. 어쩌면 하루하루 먹고 살기 급급한 삶인지도 모르겠다. 준비 없이 노후를 맞아 가난의 직격탄을 맞게 될 상상조차 하지 못하고 사는 게 보통의 삶이라는 생각이다. 어느덧 인생 후반기를 바라보는 나이가 된 필자는 거대한 문명의 파도 앞에서 한 번쯤 나 자신을 돌아볼 시간이 필요하다고 느꼈다.

첫 마음을 돌아보며

연초가 되면 사주나 운세를 보는 사람들이 많다. 새해의 희망을 바라거나, 미래에 대한 막연한 불안감을 해소하고 심리적 안정을 위해서, 혹은 재미삼아 보는 사람도 있다. 이성적이고 합리적일 것이라 생각되는 대학생들이 많은 곳에도 타로와 운세를 보는 카페가 성행한다. 그런데 이러한 운세나 점, 혈액형별 성격 풀이가 자신의 상황을 정확히 들여다보는 듯 놀랄 때가 있었을 것이다. 심리학에서는 이러한 현상을 바넘 효과Barnum Effect 라고 한다. 어떤 운세가 마치 자신의 이야기인양 느껴지는 현상을 말하는데, 보편적인 특징을 마치 자기를 말하고 있다고 받아들이는 것을 일컫는다. 이 용어는 19세기 말 곡예단에서 무작위로 선정한 사람들의 성격을 잘 맞춰냈던 서커스단장 바넘Barnum에서 유래했다. 운세나 점괘는 과학적이냐 아니냐를 떠나 순기능을 하기도 한다. 긍정적인 내용은 강화하고, 부정적인 내용은 조심하게 만드는 효과가 있기 때문이다. 물론 한 해의 운세를 알아보고 싶어하는 마음도 이해가 된다. 하지만 운세에 따라 사람을 사귀고 결혼한다는 얘기가 종종 들리는 것을 보면서 운명을 스스로 결정하는 주체의식이 부족하구나 하는 생각이 들었다.

삶의 방향은 마음먹기에 따라 바뀌고, 삶을 위대하거나 왜소하게 만드는 것은 스스로의 생각이다. 자신이 아닌 다른 사람의 시선에 의해 자신을 바라보지 말고, 자신의 색깔과 개성이

다른 사람의 입맛에 의해 포장하지 않았으면 한다.

　사람은 시간이라는 선 위에서 삶을 계획하고 반성하며 매듭을 지어 나간다. 그러면서 반성과 깨달음을 통해 새로운 유산들을 만들어 간다. 처음과 끝은 맞닿아 있지만, 너무 과거에 집착하거나 미래에 연연하는 삶은 오늘을 놓치는 우를 범하게 된다. 오늘은 선물이고, 몇 십 년을 살아도 오늘 손에 쥘 수 있는 것은 오늘 하루밖에 없다는 말처럼, 매 순간 최선을 다한다면 한 해를 넘기면서 후회하는 일은 크게 줄어들 것이다. 「화엄경」에는 "나무는 꽃을 버려야 열매를 맺고 강물은 강을 떠나야 바다에 이른다."고 했다. 익숙한 것으로부터 결별하고 나를 찾아가는 한 해가 되었으면 한다. 그리고 가서 오지 않는 것이 없다는 '무왕불복無往不復'이라는 말을 교훈 삼아 많이 베풀고 소외된 분들과 많이 나누는 한 해가 되길 빌어본다.

　정채봉 시인의 「첫마음」은 1월 1일 아침에 찬물로 세수하면서 먹은 첫 마음으로 1년을 살고, 첫 출근하는 날, 신발 끈을 매면서 먹었던 첫 마음과 같은 설렘을 잃지 않는다면 항상 새로우며 깊어지고 넓어질 것이라 말한다. 성공적인 삶은 타인의 손에 이끌리거나 휩쓸리지 않고, 내가 원했던 애초의 계획대로 나의 노력으로 성취하는 데 있다고 생각한다.

나무는 울고 싶다

　감나무만 덩그러니 남아 있던 필자의 옛 생가를 둘러보다가 나무에 대해서 생각하게 되었다. 누군가는 나무를 보고 세상에서 가장 나이 많고 지혜로운 철학자라고 했다. 못난 소나무가 선산을 지키고 고향을 지킨다는 말이 있듯이 좋은 나무는 재목으로 먼저 베어지곤 한다. 기둥과 보로 쓰기 위해 산신의 영혼을 달래는 인간의 고사가 베어질 나무는 무슨 의미가 있을까. 그렇게 죽어 영광을 누리는가 하면 나무 역시 아파트 조경수, 가로수로 타향살이를 시작한다. 원치 않은 삶이지만 한마디 불평 없이 뿌리를 내리며 숙명으로 받아들인다. 떠나온 곳에 대한 그리움을 삭히며 살아가는 것이다.

　우리는 나무에 깊은 생채기를 남긴다. 조경한다는 구실로 나무의 손발을 자르고 허리를 부러뜨리곤 한다. 한 생명을 죄의식 없이 쉽게 취한다. 하나의 씨앗이 나무로 자라기까지 쉽지 않은 여정이다. 이는 우리가 이 세상에 오는 과정과도 같다. 운이 나빠 시멘트 위에 떨어지기라도 하면 하염없이 기다려야 하고, 운이 좋아 흙에 떨어져도 나무로 자랄 확률은 높지 않다.

　무엇에 이끌린 듯 나무를 유심히 바라보게 된다. 지지대에 수년째 끈이나 철사로 묶인 나무는 오늘도 고통을 토해내고 있다. 나무의 기지개가 인간의 무관심 속에 꺾이는 일이 없도록 모두 제거되었으면 한다. 이 시각에도 자신을 동여맨 굴레를 벗고 싶은 나무의 말 없는 옹알이를 외면하지 않았으면 한다.

이 세상에 생명으로 존재하는 모든 것은 아름답다. 나다움의 가치는 존재하기 시작한 순간부터 있었다.

삶을 가지고 태어난 모든 생명은 고귀하고 아름답다. 만물의 영장은 파괴하기 위해 임명된 게 아니고, 모든 만물을 다스리기 위해 주어진 특권이다. 변화의 속도를 알 수 없을 만큼 빠르게 시대가 변하더라도 우리가 잊지 말아야 할 것은 '나다움'의 근원인 역사와 사람답게 사는 세상에 대한 따뜻한 갈망일 것이다.

나무처럼 한 자리에서 꿋꿋이 제 몫을 다하는 삶도 계절마다 화려하게 꽃을 피우는 삶도 이름도 없이 빛도 없이 잡초 같은 생명력을 지키는 삶도 모두가 소중한 것이다. 애초부터 만물은 어울릴 때 하나도 되도록 지어졌다. 거대한 문명의 파도가 우리의 삶을 장악하더라도 잊지 말아야 할 부분이다.

21

생각이
앞서가는 사람

　　모든 의사결정을 함에 있어서 통찰력 있는 사고력이 중요하다. 현재와 같이 급변하는 사회일수록 전체를 보는 직관력과 부분을 면밀하게 살피는 섬세한 감성이 필요하다. 자는 동안 꿈을 꾸면 실질적으로는 깊은 잠에 빠진 것이 아니라고 한다. 몸은 누워있어도 뇌 활동은 계속되고 있기 때문이다. 아마 자면서도 수많은 생각 사이를 거닐고 있을지 모른다. 그렇나면 우리의 생각이 멈춰지는 시간은 언제일까. 실질직으로 명확한 판단력을 가져야 하는 때, 생각의 오류를 범하지 않고 한 차원 높은 사고를 할 수 있으려면 어떻게 하는 게 좋을지를 면밀히 살펴보도록 하겠다.

생각의 오류

몸 중에서 무게는 2.5% 정도밖에 안 되지만, 전체 혈액의 15%가 흐르고, 전체 20%의 산소를 사용하는 곳, 이것은 사람의 뇌이다. 우리는 뇌로 모든 것을 인지하고 판단한다. 컴퓨터로 말하자면 입력된 정보 수준에서 결과물이 나오는 것처럼 뇌에 기억된 학습과 경험치 등으로 어떤 현상을 이해하고, 자기의 주관을 만들어 낸다. 컴퓨터와 사람의 뇌가 다른 점이 있다면 사람은 심리가 개입되어 정확한 판단을 내리지 못하는 경우가 많다는 것이다.

휴리스틱heuristics이라는 심리학 용어가 있다. 그리스어에서 유래된 이 용어는 경험에 의한 판단, 직관적인 판단을 뜻하는데, '가용성 휴리스틱availability heuristics'이라고 하면 의사결정 시 합리적인 기준에 의해 상황을 판단하는 것이 아니라 자기 경험으로 결론을 내는 비합리적 의사결정을 의미한다. 즉 가용할 수 있는 정보만으로 생각의 틀 안에서 자신만의 판단이나 결론을 만드는 현상을 말한다. 이것은 자신이 옳다고 믿는 정보만 받아들이고 나머지는 거부하는 확증편향confirmation bias과도 유사하다.

조직에서 직장 상사나 부하, 혹은 동료의 리더십을 평가한다고 치자. 리더십은 한마디로 정의하기도 어렵거니와 기준도 다양하다. 보스처럼 잘 통제하고, 명령하고, 지시하는 것을 잘하는 경우를 리더십이 있다고 생각하는 사람, 혁신성을 리더십의 중요한 기준으로 평가하는 사람, 그리고 뒤에서 지지하고 밀어주는 서버트 리더십이나 팔로우십, 믿고 맡기는 권한위임empowerment을 리더십이라고 생각하는 사람 등 수많은 관념을 가진 사람들이 자신만의 신념으로 평가에 참여하게 된다. 대부분 '휴리스틱' 한 방법으로 평가하게 되며, 자기의 내면화된 신념들과 가치들을 기준으로 결론을 짓는다.

진화론적으로 살펴보면 자신을 제외한 다른 사람들은 경쟁관계다. 따라서 평가자보다 높게 평가하기가 본능적으로 어려울 수 있다. 하지만 우리는 사회적 관계를 위해 진화해 왔고, 상대방에 대한 공감이나 마음을 이해하는 거울 체계와 심리화 체계를 갖고 있어서 객관적으로 평가하는 의지와 양심이 있다. 그러나 가진 것이 망치뿐이면 모든 것이 못으로 보이게 마련이고 평가에 있어 다양한 심리적 편향은 없는지를 생각해봐야 한다. 객관적 검증 없이 자기 생각이 옳고 보편적이라는 '허위 합의 효과', 자신이 생각하는 현상 그대로라고 믿는 '소박한 실재론'에 입각한 생각은 자신의 감정을 잘못 예측하고, 판단하는데 오류는 없는지 스스로 돌아볼 필요가 있다. (그런데 이 점이 쉽지가 않다는 함정이 있다.)

심리적 판단을 하는 우리의 뇌는 외부에서 들어오는 정보를 자신과 관련지어 해석한다. 중요한 것은 뛰어난 기억력보다 무딘 연필이 낫다는 말처럼 뇌의 기억도 살면서 끊임없이 왜곡된다는 사실이다. 내가 가진 생각이 무조건 옳은지 판단 기준에 왜곡은 없는지 스스로 생각해봐야 한다.

생각의 풀이 다양할수록 발전한다

직장 생활을 하다 보면 조직 방침에 따라 불합리한 경우에 수긍해야 하는 상황도 벌어지고, 불합리한 상황이 합리적인 것으로 감내할 때도 많다. 개인의 생각이 옳더라도 뜻을 꺾고 조직의 방침에 맞추는 것이다. 유연성이 떨어지는 조직일수록 내부 구성원들의 집단적 사고를 강요하는 경향이 높고, 조금이라도 벗어나면 문제가 있는 것으로 낙인을 찍는다. 우리는 사회적으로 용인되는 범위를 벗어난 사람을 사차원이라고 하지만 생각의 다양성이라는 측면에서는 다름이 아닌 차이가 있다는 것을 인정할 필요가 있다.

사람들은 자신과 성향이 유사한 사람에게 긍정적인 반응을 보이고, 유사하게 행동하는 사람에게 호감을 갖는다. 겉모습만으로 평가해서는 문제가 있다는 워렌 하딩의 오류Warren Harding Error라는 용어도 있지만, 조직이나 기업에서는 다양한 생각을 만들고 건의하고 뭔가를 변화시키려고 노력하는 모습보다는 순종적으로 보이고 맹목적으로 따르는 구성원들을 더 좋게 평가한다. 그러다 보니 능력보다는 조직에 순응하는 정도에 따라 지위가 결정된다. 그래서 조직의 변화는커녕 동질적 재생산homosocial reproduction만 일어난다. 발전이 있을 수 없다는 것이다. 리더십 연구가인 워런 베니스는 이렇게 집단화된 조직이나 기업의 최고 상태는 이전에 만들어 낸 결과의 100퍼센트 복제품이라고 했다. 더는 발전이 없고 발전의 한계를 벗어날 수 없다는 것이다. 어느 기업은 문제 해결 방법을 찾는데 해당 분야 전문가와 비전문가로 구성하여 문제를 해결한 사례에서 시사하는 바가 크다. 문제의 해결은 관점을 달리했기 때문에 가능했다.

자연에서 종種이 진화하는 과정은 자연선택, 자웅선택, 그리고 돌연변이다. 마찬가지로 조직이나 기업이 발전하는 방법도 마찬가지다. 큰 변화는 돌연변이와 같은 변화다. 이런 과정을 통해 완전히 새로운 조직 문화가 생성되고 크게 도약할 기회를 갖는다. 자연선택과 같이 서서히 일어나는 변신도 필요하지만 크게 도약하기 위해서는 돌연변이같은 변화가 필요하다. 생물이 진화하기 위해서는 다양한 유전자 풀Gene Pool이 필요하듯이 조직이나 기업에서는 다양한 생각의 풀을 가진 구성원들이 필요하다.

누군가는 미래의 지도자가 정신병원에 있다는 말도 했다. 지금 당장의 기준으로 판단할 수 없다는 것이다. 시간이 지나면 틀리다고 생각한 것이 시간이 지나서 정답인 경우도 있다. 평범한 사람들이 이해하지 못하기 때문이다. 시대를 앞서가고, 생각이 한 차원 앞서가는 사람을 현재의 기준으로 평가하기는 어렵다. 그러나 우리는 쉽게 그 사람은 사차원이라고 부른다. 정작 조직이나 사회를 변화시키는 사람은, 규범에 자신을 맞추는 일명 집단 순응 사고를 애써 외면하고, 새로운 생각을 지닌 특이한 사람인지도 모른다.

여기서 특이하다는 것은 무조건 독특하기만 한 것이 아니라,

독창적인 사고가 발달한 사람의 특성을 지칭하는 것이다. 창의성 있는 인재상을 원하면서도 기업에 들어가면 구성원은 수직적인 구조에 본래 갖고 있던 생각마저 잃어버리는 것 같다. 조금 더 발전된 사회를 꾸려가고 싶다면 이런 사회구조부터 변화를 주는 첫걸음이 중요하지 않을까 한다. 수평적인 사회구조 속에 구성원의 내재된 역량을 유감없이 발휘하고 독창적인 사고력을 펼칠 수 있도록 업무환경을 만들어 주어야 할 것이다. 우리 사회는 생각이 앞서가는 사람을 포용할 준비가 돼 있을까. 색안경을 끼지 않고 품어줄 마음이 있는가는 돌아봐야 할 일이다.

22

지금은
가치 소비시대입니다

　　감성을 소비하고, 추억팔이를 공유하는 시대를 살고 있다. 언제부턴가 도시에서 바른 먹거리를 찾으려는 움직임은 공원에서 분양해주는 작은 텃밭에서부터 시작되었고, '도시농부'라는 말도 친근하게 들리게 되었다. 도시인으로서 소비 농부에 동참하기 위해선 식탁에 우리 손으로 지은 건강한 농산물을 올려야하는 것이다. 코로나를 겪으면서 오히려 온라인은 너 활발해졌고 업종 간 격차도 심하게 벌어졌다. 소비 과잉시대에 살아남기 위해서 우리는 어떤 전략을 짜야 할까. 면밀하게 살펴볼 필요가 있다.

소비 과잉시대는 브랜드 관리로 차별화해야

　　브랜드는 상표와는 다른 개념이다. 『브랜드 갭』의 저자 마티

뉴마이어는 "브랜드는 당신이 말하는 그 무엇이 아니라, 그들이 말하는 그 무엇이다."라고 했고, 켈러 교수는 "브랜드는 고객들이 갖는 정신적 연상의 세트"라고 했다. 즉, 브랜드 관리란 브랜드 이미지, 브랜드 아이덴티티 그리고 브랜드 현실을 조화롭게 관리하는 것이다.

잭 트라우트와 알리스의 저서 『마케팅 불변의 법칙』에서는 '제품 싸움이 아니라 인식의 싸움이다'라는 인식의 법칙과 '시장에서 먼저 들어가기 전에 사람들의 기억 속에 먼저 들어가라'는 기억의 법칙을 이야기했다. 마케팅은 우리가 얼마나 우수한지를 겨루는 것이 아닌 얼마나 남보다 독특한가로 승부를 겨루는 싸움이라고 할 수 있다. 나아가 소비층의 잠재된 욕망까지 충족시켜야 한다.

사실 고객의 니즈를 단번에 파악하기는 쉽지 않다. 하버드대학교의 제럴드 잘트만 교수는 "말로 표현되는 니즈는 5%에 불과하다."고 했다. 사실 고객도 자기가 원하는 것을 정확히 모른다. 실제 콜라 시장에서 선두를 다투는 두 기업의 블라인드 테스트만 봐도 그렇다. 더 맛있는 콜라를 고르는 실험에서 눈을 가리고 선택한 경우와 브랜드를 보고 선택한 경우의 결과가 달랐다.

사람의 뇌는 브랜드를 보는 순간 활성화되고 정보 전달 신경인 뉴런에 의해 경험이나 브랜드의 영향을 받게 된다. 이처럼 실제 좋은 것과 브랜드를 보고 선호도가 달라지는 것에는 일견 합리적이라기보다는 비합리적인 요소가 더 많다. 베블런 효과_{Veblen Effect}로 비싼 것을 더 선호하는 것도 이와 같다. 경제 불황이어도 명품관은 문을 닫지 않는 이치와 같은 것이다.

그래서 소비자가 '무엇'을 생각하고, '어떻게' 행동하는지보다 이면에 숨어있는 동기를 파악하는 일에 중점을 둬야 한다. 지금은 생산 과잉시대인 동시에 가치 소비시대다. 가처분 소득이 늘지 않는 상황에서는 가격을 가치로 여기고 합리적인 가격을 기준으로 제품을 구매하는 경향이 늘어나고 있다. 이와 반대로 가격보다 소비자 자신에게 의미나 상징성이 더 큰 가치를 준다고 판단하는 제품에 기꺼이 비용을 지불하는 경향도 많다. 제품이나 서비스 그 자체보다는 소비자가 평소 가지고 있는 상징성과 외부에 비춰지고 자신을 더 부각시킬 수 있는 것에 지갑을 여는 것이다.

합리적인 가격과 합리적인 대고객 가치가 조화를 이뤄야 한다. 저성장 시대에 브랜드 관리자입장에서는 제품을 원가 우위를 내세울 것인지 차별화를 추구할 것인지 양면 소비에 대비한 마케팅 전략이 필요하다. 브랜드는 약속, 경험, 연상으로 구축돼 있다.

먼저 브랜드는 고객과의 비즈니스 약속이다. 브랜드파워는 브랜드 약속이 고객 경험을 통해서 입증될 때 형성된다. 또한 브랜드는 고객이 연상하는 모든 것의 조합이다. 그리고 브랜드는 고객과의 상호작용을 통해 느낌으로 마음속에 자리 잡게 된다.

이미 과잉 성숙된 시장에서 제품이 비슷하다고 생각하는 소비자가 급증하고 있고, 실제로 제품은 기술과 품질에서 평준화되고 있다. 이렇게 가격 경쟁이 가속화되는 상황에서 차별화하고 경쟁력을 가지는 방법이 바로 '브랜드 관리'다.

도시민도 '소비 농부'처럼

"소비가 있어야 생산이 일어난다."

농업인이 생산자이고 도시민은 소비자다. 결국 농업인과 소비자는 소비가 일어나야 식량공급이 원활해지는 '공동생산자' 관계에 놓이게 된다. 도시인도 '소비농부' 의식을 가져야 한다.

각인刻印이라는 용어가 있다. 도장을 새기듯 머릿속에 깊이 기억된 것을 뜻한다. 『컬처코드』의 저자 클로테르 라파이유 박사는 각 나라 문화코드를 분석하면서 각인에 주목했다. 우리의 사고 과정을 강하게 규정하고 미래의 행동을 결정하는 요인이기 때문이었다. 이러한 각인은 이성적으로 학습된다기보다는 경험을 통해 얻어진다. 각인의 대표적인 예가 닭이다. 닭은 날 수 있는 신체구조를 갖추고 있다. 지금은 날지 않는다. 이유는 태어난 병아리가 날지 않는 어미를 보고 자랐기 때문이다. 행동은 생득적生得的이지만 시작은 습득적習得的이라 할 수 있다.

농림축산식품부와 농협은 바른 밥상 밝은 100세 캠페인과

우리 땅에서 우리 몸에 맞는 농산물을 이용하는 것이야말로 제대로 된 '소비'일 것이다. 모두가 건강하게 사는 지름길을 좌시하지 않길 바라는 마음이다.

'식사랑 농사랑' 운동을 전사적으로 펼치고 있다. 우리 농산물 소비촉진을 통해 농업·농촌·농업인을 살리고, 우리 몸에 맞는 신토불이 농산물을 애용함으로써 국민 모두가 건강한 삶을 유지하자는 것이 기본적인 맥락이다. 대부분의 국민들이 의식하지 못하는 사이에 우리나라의 식량자급률이 지난해 기준 23.1%까지 낮아졌다. 나머지 76.9%는 외국으로부터 수입해야 한다는 의미인데, 이러한 추세라면 2008년과 2010년 곡물 파동과 같이 주요 곡물 생산국에서 수출 중단으로 인해 식량 안보가 위협받을 수 있는 상황이 또다시 전개될지도 모른다.

그나마 자급률이 높은 쌀의 1인당 소비량도 지속적으로 줄고 있다. 이러한 상황에서 우리나라 사람들이 가장 많이 먹는 음식은 '커피'라고 한다. 단일 음식 기준 주당 섭취빈도가 12.2회로 가장 많았고, 배추김치 11.9회, 설탕 9.7회, 잡곡밥 9.6회 등의 순이었다. 아침밥 먹기 운동 등 쌀 소비촉진 운동에도 불구하고 쌀 포함한 곡물의 소비는 줄어들고 있으나 패스트푸드와 같은 서구화된 식습관은 고착화되는 모양새다.

이 시점에서 우리 농산물의 소비를 늘리는 방안을 고민해 본다. 생산이 수요를 창출한다는 '세이의 법칙'도 있지만 기본적으로 소비가 있어야 생산이 일어난다. 농업인이 생산자이고 도시민은 소비자다. 결국 농업인과 소비자는 소비가 일어나야 식량공급이 원활해지는 '공동생산자' 관계에 놓이게 된다. 때문에 도시민도 '소비 농부'라는 의식을 가져야 한다. 이러한 의식은 농업지수AQ를 높여 농촌 문제에 대해 관심 갖고 우리 농산물 소비가 촉진되어 농촌 경제의 활성화에도 기여할 것이다. 우리 농산물 소비가 촉진되기 위해서는 첫째 가정에서의 요리, 둘째 학교·기업체 등에서의 급식, 셋째 일반 식당에서의 조리 등 삼박자가 맞아야 한다.

이 중에서도 가정 요리가 제일 중요하다고 생각한다. 가정 요리가 활발해지면 밥상머리 교육, 집밥 먹기가 자연스럽게 실천된다. 이보다 선행되어야 할 것은 바로 조리 방법에 대한 자녀 교육이다. 앞에서 닭이 날지 못하는 이유가 어미의 날지 않는 모습이 각인되었기 때문이라고 했다. 요리하지 않는 부모 밑에서 자란 자녀는 요리할 수 없게 된다. 가정에서 교육이 자연스럽게 이루어지는 밥상머리 문화가 대물림되지 못하고 사라지면 어른들의 권위도 사라진다. 그래서 가정은 문화와 식습관이 만들어지고, 우리 농산물의 선택이 일어나는 첫 번째 장소이자, 우리 농촌을 활성화하는 마지막 장소다.

　같은 가방이어도 사람들은 굳이 명품의 가치를 높게 산다. 세월에 상관없이 오랜 기간 기품있게 사용할 수 있는 특장점이 있는 반면에 브랜드 가치 자체가 탁월한 느낌을 주기 때문이다. 어쩌면 이 가방을 들면서 자신의 가치도 품격화하고 싶은 소비 심리가 크게 작동한 것이 아닐까 생각한다. 눈에 보이는 것과 보여지는 것에 민감한 사회다. 가치를 소비하는 시대, 나는 어떤 가치를 선호하며 소비중인가를 절대 좌시해서는 안 될 것이다.

23

사랑받기 위한
조건들

       고객과 기업 간의 관계는 예상 고객, 고객, 단골, 옹호자 그리고 동반자 순으로 발전한다. 요즘은 기술이 평준화돼 차별화가 쉽지 않다. 그러다 보니 고객과의 관계를 동반자로 발전하도록 돕는 역할로 브랜드의 중요성이 부각된다. 브랜드를 인격화하기도 하고 브랜드에 사람이 갖는 성격과 같은 브랜드 개성을 가미하기도 한다. 고객이 브랜드를 좋아하고 사랑하게끔 만든다. 그래서인지 요즘은 단순히 브랜드brand를 넘어 러브 마크love mark로 고객의 마음에 자리 잡도록 노력을 많이 한다.

  흔히 브랜드 관리 활동을 서로 사랑하고 연애戀愛하듯이 하라고 한다. 경제학에서는 사람을 이성적이고 합리적인 존재로 보지만 싼 것보다는 자기의 정체성을 표현할 수 있는 제품을 구매하거나 비싼 것이 더 잘 팔리는 것을 보면 사람은 이성적으로만 제품을 구매하지 않는다는 것을 알 수 있다.

사랑받는 브랜드의 조건

지금은 제품 중심의 시대에서 가치 주도의 시대로 변했다. 단순히 가격이나 품질에 따르기보다는 디자인, 콘셉트, 색상 등 브랜드 이미지 때문에 구입하는 경향이 많아졌다. 물론 제품의 품질이 기본이지만 제품이 평준화된 상황에서 품질이 아닌 의미, 가격이 아닌 가치를 보고 구매한다.

이런 의미와 가치를 만드는 과정이 브랜드 관리다. 브랜드는 유기체처럼 생기고 사라지는 과정을 밟는다. 영원한 일등은 없다. 한때 국내대표 제빵의 선도 브랜드였던 모 제빵회사는 결국 시장에서 사라지고 말았다. 트렌드와 사회적 변화에 즉각 반응하지 않으면 언제든지 도태된다. 투자의 귀재 워런 버핏은 자만complacency은 기업이 망하는 3가지 요인 중 하나라고 했다. 일등 브랜드일수록 시장을 선도해야 하기 때문에 끊임없이 노력해야 한다. 필자는 다년간 기업의 이미지 통합 전략corporate image identity을 수행했다. 대부분 기업처럼 로고 같은 시각적인 부분뿐만 아니라 옷차림, 행동 강령에 관한 사항까지 개념화한다. 체계적인 브랜드 관리를 위해 강조돼야 할 것은 바로 '같은 목소리one-voice'와 '일관성consistency'이다.

브랜드 매뉴얼에 따라 결정된 색상, 디자인 요소는 때와 장소에 관계없이 동일하게 적용돼야 한다. 색상만 봐도 어느 회사인지, 어느 은행인지 알 수 있는 이유는 브랜드 관리의 한 부분인 CIcolor identity를 일관되게 관리하기 때문이다. 포장재도 마케팅에 있어 중요한 요소로 부각되고 있다. 제품은 평준화되어 간다. 이때 시선을 끌고 충동을 느끼게 하는 것이 바로 포장이다. 포장재에 예술을 입히거나 선물 등 용도에 맞는 포장재 개발 등에도 노력을 기울여야 한다. 고객은 보는 것을 믿는 것이 아니라 믿는 것을 본다고 한다. 믿게 만드는 것, 사랑받는 브랜드가 되기 위해 힘쓰는 이유다.

브랜드와 고객과의 최고 이상적인 관계가 공명resonance이다. 브랜드를 보면 설레고 서로 울림이 있는 브랜드가 되기 위해서는 브랜드를 만들고 관리하는 주체뿐만 아니라 브랜드를 적용하는 모든 주체가 브랜드 관리의 중요성을 인식하고 있어야 한다. 이렇게 되어야만 고객도 브랜드에 일관된 사랑을 줄 수 있다. 꾸준한 관리와 끊임없는 관심이 전달돼야만 고객도 브랜드의 가치를 높이 사고 이에 걸맞게 호응하는 것이다.

퍼스널 브랜딩의 성공 요인

1960년대 초 하버드대학교 에드워드 밴 필드Edward Banfield 박사는 개인의 경제적 성공에 가장 큰 영향을 미치는 요인으로 시간 조망時間眺望, time perspective을 들었다. 행동 하나하나가 미래의 자기 운명을 결정 짓는다고 생각하면 시간을 헛되이 보낼 수 없는 것이다.

SBS 스페셜 〈1만 시간의 법칙〉에서 소개된 내용을 살펴보

자. 아이들에게 악기를 배우기 전에 단기계획 또는 장기계획을 세우도록 했다. 단기는 초등학생, 중기는 중학생, 장기는 고등학생 때까지다. 연습량이 다소 적더라도 장기계획을 세운 아이들의 실력이 훨씬 뛰어났다. 같은 시간 연습해도 실력이 느는 사람과 안 느는 사람의 차이는 시간 조망에 있는 것이다.

나폴레옹은 워털루 전투에서 패배한 후 세인트헬레나섬에 갇혀있을 때 "오늘 나의 불행은 언젠가 내가 잘못 보낸 시간의 보복이다."라고 했다. 시간은 누구에게나 공평하게 주어진다. 시간의 역습을 당하지 않으려면 지금부터라도 계획적인 삶을 살아야 한다. 똑같이 주어지는 시간을 어떻게 활용하느냐에 따라 삶의 질이 달라지기 때문이다.

필자의 목표 중 하나는 매년 한 가지 이상 자격증을 따는 것이다. 그 덕분에 20개 이상의 자격증을 취득할 수 있었다. 꼭 자격증이 그 사람을 말해주는 것은 아니다. 하지만 사람의 가치를 객관적으로 보여줄 수 있는 것이 자격증이라 생각했고, 그래서 현재의 내가 미래의 나를 위해 준비한 것이 자격증이었다. 그렇게 취득한 이용사 자격증으로 주민센터에서 정기적으로 이용 봉사를 하기도 했다.

서비스의 대표적인 특성은 무형성無刑性이다. 형태가 없는 서비스를 객관적으로 증명해 보일 수 있고 다른 사람과 차별화할 수 있는 것이 자격증이다. 의사면허증, 의사 가운 등은 무형의 자격을 신뢰나 권위로 유형화하는 것이라 할 수 있다. 그리고 연간 수백 권의 책을 읽으며 연간 20회 이상 언론에 기고하고 있다. 소셜미디어 시대인 지금, 글 쓰는 능력도 성공을 위한 중요한 능력 중 하나다.

미국 컬럼비아 대학교 MBA 과정에서 CEO를 대상으로 한 성공하는데 가장 큰 영향을 준 요인에 대한 질문에서 93%가 능력, 기회, 운이 아닌 '매력'이라고 답했다. 매너 좋은 사람은 관계에 대한 감수성이 뛰어나다. 관계는 완벽해서 끌리기도 하지만, 반대로 허점을 자주 보여주는 것이 더 유리한 것 같다. 우리는 상대방을 보는 순간 알아본다고 한다. 반대로 상대방이 자신을 얼마나 만나야 알 수 있을지를 물으면 대답은 달라진다.

타인과 어떻게 커뮤니케이션하는지 보여주는 조하리의 창 Johari Window이라는 이론이 있다. 이론에 따르면 네 가지 영역이 있다. 내가 안다, 내가 모른다, 남이 안다, 그리고 남이 모른다의 네 영역이다. 이 영역들이 서로 연결되며 다양한 경우의 수가 만들어진다.

첫 번째 공개 영역open area은 나를 알고, 상대방도 나의 특성을 아는 영역이다. 두 번째 영역은 맹인 영역blind area으로 자신은 자신을 모르지만 타인은 나에 대해 알고 있는 영역이다. 나는 모르지만 남이 나를 잘 알고 있을 때 해당된다. 세 번째 영역은 숨겨진 영역hidden area이다. 자신은 알지만 타인은 나를 모르는 영역이다. 마지막으로 미지의 영역unknown area이다. 자신도 자신에 대해 모르고, 타인도 나를 모르는 영역이다. 자신은 자신을 다 안다고 하지만, 외부에 비친 자신의 모습은 생각한 것과 다를 수 있음을 알 수 있다. 그래서 개인의 퍼스널 브랜드 관리가 필요하고 대외적으로 비치기를 바라는 모습이 브랜드 아이덴티티를 구축하는 과정이다. 커뮤니케이션은 내가 생각하는 나와 타인이 생각하는 나와 만나는 것이다. 그러나 진실성이 수반되지 않으면 이중인격이나 페르소나persona, 즉 가면을 쓴 인격을 강화하게 되어 진정한 나를 잊어버리고 살게 된다.

사랑받는 브랜드가 되려면 진정성이 전달되어야 한다. 어쩌면 그 가치가 마음에 들어서 소비하는 시대일 수 있기 때문이다. 이 세상에서 가장 많이 쓰이는 단어는 바로 '나'라고 한다. '퍼스널 브랜딩에서 제일 중요한 것은 남이 아는 나를 만들어 가는 것'이다. 나를 만들어 가는 방법은 참으로 다양하다. 지위나 명예, 부富, 스포츠, 공부, 인간관계 등 많다. 자기 여건에 맞게 스스로의 브랜드를 만들어 누구나 욕망하고 찾는 사람이 되어야 한다. 자신을 멋지게 만드는 3가지 힘力이란 경력, 실력 그리고 매력이다.

그보다 더 중요한 건 나 자신을 스스로 어떻게 바라보고 있느냐는 것이다. 나 자신을 믿고 받아들이고 감사해하는 마음이어야만 비로소 가능한 것이다. 스스로를 아끼고 존중하는 마음, 건강한 활력소를 내뿜는 삶, 건강한 자기 사랑이 투영된 브랜드의 가치는 고객들도 한눈에 알아보는 것이다. 지속적인 사랑을 이어가기 위해서는 끊임없는 관심과 애정을 쏟아야만 할 것이다. 브랜드의 가치는 진정한 사랑에서만이 가능한 영역이다.

2부 당신은 누구입니까?

시간은 누구에게나 공평하게 주어진다.

시간의 역습을 당하지 않으려면
지금부터라도 계획적인
삶을 살아야 한다.

24

명품이 없으면
안 되는 사람이라면

     비싸도 흔쾌히 사고 싶은 상품이 있다. 바로 유명 브랜드 제품이 그렇다. 흔히 유행하는 말로 '가성비'를 따지는 것이 합리적인 소비이기도 하지만, 이른바 명품이라고 하는 제품에는 돈을 아끼지 않는다. 품질도 품질이지만, 그 브랜드가 가지고 있는 가치 때문이다.

정체성에 담긴 가치

     브랜드Brand라는 단어는 '불에 달구어 지진다.'는 뜻의 노르웨이 고어인 'Brandr'에서 유래되었다. 실제로 고대부터 사람들은 불로 달군 인두로 가축의 등이나 엉덩이를 지져서 자신의 소유권을 표시했다. 기원전 약 3천 년경 메소포타미아 지방의 토기에도 표식이 있었다고 한다. 말하자면, 브랜드는 소유

권에서 기원한 셈이다.

요즘 사람들은 제품을 구매할 때 제품 그 자체보다는 꿈과 이미지를 위해 제품을 구매하는 경향이 강하다. 구매 의사결정에 영향을 주는 요인은 심리적인 요인, 개인적인 요인, 사회적 요인 그리고 문화적 요인 등 다양하지만, 심리적인 측면에서 보면 필요에 의거 제품을 구입하기보다는 가공된 욕망 때문에 제품을 구입한다고 볼 수 있다. 그 꿈과 이미지는 브랜드를 통해 표현되며, 브랜드는 소비자에게 기능적 가치 외에 정서적 가치나 상징적 가치도 제공해준다.

그럼 상표와 브랜드는 어떤 차이가 있을까? 상표가 자신의 상품을 타인의 상품과 식별한 목적으로 사용하는 기호 · 문자 · 도형 등을 뜻한다면, 브랜드는 상표의 의미에 더하여 연상되는 이미지, 창출되는 경험 그리고 지각되는 믿음과 신뢰 등 보이지 않는 가치까지 포함된다.

기업은 해당 제품이 소비자들 인식의 사다리 맨 위에 자리잡을 수 있도록 다양한 마케팅 도구를 활용한 인식의 싸움을 벌인다. 광고나 홍보를 통해 인지도를 높이고 이미지 제고를 위한 다양한 사회공헌활동 등도 펼치는데, 이러한 활동이 일련의 브랜드 자산구축활동이며 브랜드경영이다.

한편 개인으로서 자신을 브랜드경영하는 것은 경쟁이 치열해지고 있고 개인 간 차별점이 없어지는 상황에서 경쟁적 우위를 확보하는 방법이며, 나만의 브랜드Brand Me와 '바람직한 나다움'을 만들어 자기 주도적인 삶을 살도록 만들어 준다.

상품과 사람의 차이

우선 무엇인가를 얻기 위해서는 원하는 것이 무엇인지 업業을 먼저 결정해야 하듯이 다른 사람들과 차별화하기 위한 내적인 요소와 외적인 요소가 무엇인지 먼저 파악해야 한다. 내적인 요소는 기업이 지속가능 경영을 위해 미션과 비전을 설정하듯이 개인도 자신의 가치관이 투영된 사명문Mission Statement을 작성하고, 목표를 설정하며, 자신의 정체성을 명확하게 정의해야 한다. 또한 배움을 통한 지식습득을 게을리해서는 안 된다.

외적인 요소로 외모에도 많은 신경을 써야 한다. 심리학자인 알버트 메라비언Albert Mehrabian에 따르면 상대방을 평가할 때 55%가 시각적인 요소에 의해 결정된다고 봤다. 인류학자인 레이 버드위스텔Ray L. Birdwhistell도 얼굴을 맞대고 대화할 때 비언어적 메시지가 차지하는 비율이 65% 이상이라고 했다. 이처럼 외모에서 풍기는 이미지도 내적 요소만큼이나 중요하다. 그럼 이렇게 형성된 자신만의 브랜드 이미지를 어떻게 알려야 할까? 기업의 제품 광고나 홍보활동처럼 외부에 알리는 노력이 있어야 한다. 앞서 말한 자신의 사명문을 바탕으로 핵심 가치를 뽑아내어 독특하고 강력하게 그리고 호의적인 방법으로 일관된 메시지를 밖으로 내보내 스스로 존재를 알려야 한다. 시장가치를 높이는 퍼스널 마케팅 활동이 필요한 것이다. 하루에도 수백 건의 광고가 쏟아지고, 수많은 제품이 상표를 달고 시장에 나온다. 대부분의 사람들은 인식조차 못하고 지나친다. 우리도 자신을 경영하기 위한 차별화된 전략 없이 시간을 소비한다면, 살아가기 위해 생존해 있는 것이 아니라 생존을 위해 살아가고 있다면, 사람들로부터 무관심한 존재와 무의미한 존재로 사람의 기억에서 잊혀질 것이다.

기본적으로 사람에게는 자기표현 욕구_{need for self-expression}와 잘난 척하고 싶어 하는 자기 고양 욕구_{need for self-enhancement}가 있다. 또한 자기의 존재를 알리려는 의미에의 의지가 있어 뭔가 특별한 것을 찾게 되고 원하게 된다. 의미를 향한 소리 없는 절규인 셈이다.

심리학의 자아개념 이론을 보면 개인의 자아에는 자신에 대해 스스로 생각하는 실제적 자아_{Actual Self}와 자신이 되고자 소망하는 이상적 자아_{Ideal Self}, 그리고 반드시 되고 싶은 당위적 자아_{Ought Self}가 있다고 한다. 소비자들은 자신의 자아개념과 일치하는 개성을 가진 브랜드를 선택하지만 그러한 브랜드 선택이 실제적 자아보다는 '이상적 자아' 또는 '당위적 자아'에 바탕을 두는 경우가 많다.

그래서일까, 요즘 사람들은 유명한 브랜드와 명품에 더 열광하는 것 같다. 소비자 행동 연구자인 러셀 벨크_{Russell W. Belk}는 "우리가 갖고 있는 것이 자기 정체성을 표현한다고 했다. 프랑스의 철학자이자 사회학자인 장 보드리야르_{Jean Baudrillard}는 소비자가 특정제품을 소비하면 유사한 급의 제품을 소비하는 소비자 집단과 같아진다는 파노플리 효과_{Effect de Panoplie}를 언급

하면서 "명품이 현대사회를 다시 계급사회로 나눈다."고 설명했다. 명품이 제품이나 서비스의 품질, 우수성을 인식할 수 있게 하는 것이 사실이다. 또한, 구매에 따른 다양한 위험을 줄일 수도 있다. 그리고 계급이 무너진 요즘 시대에 명품이 지위와 신분을 대체하는 수단이 되어 사람들을 명품에 열광케 하는 것 같다.

자신감 결여, 불안감 또는 열등감 해소와 자존감 회복은 물론 스스로를 위로받는 보상방법으로 명품을 찾기도 하고, 부자나 연예인의 소비 형태를 무작정 따라 하기도 한다. 사람들의 불만이 열등감이 아니라 무가치함, 즉 무의미하고 공허한 느낌에서 올 수 있고, 그 진공을 메우기 위해 브랜드에 의존하는 경향이 강하다고 볼 수 있다.

브랜드에 의존하는가, 자신의 가치를 키우는가.

인간은 스스로를 이해하는 자아상, 그리고 자아상에 대한 신뢰인 자신감과 자존감이 필수적이다. 나의 가치를 명품을 활용해서 드러내는 것과 명품이 없이는 나의 가치를 증명할 수 없는 것은 하늘과 땅 차이다.

미네소타대학교 University of Minnesota 연구팀에 따르면 8~18세 어린이와 청소년 250명을 대상으로 진행한 조사에서 '무엇이 나를 행복하게 하는가'라는 질문에 자존감이 높은 아이들은 비물질적인 항목을 선택했고, 반면 자존감이 낮은 아이들은 소유와 관련된 항목을 응답했다. 브랜드 제품에 대한 애착은 역설적으로 자존감이나 자기 효능감을 높이려는 시도라 할 수 있다.

마케팅 대상에 사람도 포함된다. 그래서 퍼스널 브랜딩, 휴먼 브랜딩, 노년의 자기다움이라는 뜻으로 실버 브랜딩이라는 말도 생겨났다. 그러나 진정한 자신의 브랜드는 외부의 치장으로 만들어지는 것이 아니라 관계성, 상호 신뢰성 등 무형의 가치를 통해 구축된다. 따라서 자기 차별화 포인트를 내면의 명품화로 설정해야 한다. 외부 미Outer beauty보다 내부 미Inner beauty가 우선이다.

제품은 공장에서 만들어지고 브랜드는 마음에서 만들어진다는 말이 있다. 그러나 자신의 가치를 만드는 것은 스스로의 할 일이다. 남의 것을 가지고 아무리 자신을 치장해보아야 그것은 눈속임에 불과하다. 비싼 상품은 가격이 비싸서 비싼 것이 아니다. 높은 가치를 갖고 있기 때문에 높은 가격을 받는 것이다. 나는 다른 사람들이 수고와 비용을 들여서라도 흔쾌히 만나고 싶은 사람일까?

25

다가올 미래를 위해
필요한 것들

"너는 왜 그렇게 열정이 없어?"

"…열정이 없어요."

"뭐야? 그걸 말이라고 해?"

"열정 페이 주시면서 뭘 바라시는 거예요?"

열정 하나면 철근도 씹어먹을 수 있는 젊음이라고 한다. 그러나 요즘 젊은이들에게는 녹록하지 않은 현실이다. 젊은이들이 이렇게 힘이 없는데, 미래는 어떻게 살아가야 할까. 코로나 19 시대를 살면서 세상을 등지는 청춘들이 많아졌다. 참으로 애석한 일이 아닐 수 없다. 그렇다면 이들에게 무슨 이야기를 해줘야 할까. 그럼에도 불구하고 미래를 살아갈 주역들에게 보탬이 되는 내용을 정리하고 싶었다. 이어지는 글은 크게 두 가지 테마로 정리할 수가 있다.

첫째, 단순한 지식보다 상상력이 중요하다

통합형 인재상을 요구하는 미래 인재는 어떻게 준비돼야 좋을까. 1차 세계대전 중 미국 시카고의 한 신문은 자동차 왕 헨리 포드를 '무지한 평화주의자'라 보도했다. 포드는 이에 반발해서 그 신문사를 명예훼손으로 고발했고, 신문사 측은 법정에서 포드의 무지無知를 증명하기 위해 '독립 전쟁 당시 미국에 파병한 영국 병사의 수는 얼마입니까?'와 같은 단순한 질문을 계속했다. 이에 포드는 "지금까지 질문받은 것 같은 일반 지식을 모두 알아야 하나요? 필요할 때 나에게 알려주는 전문가가 많은데…"라고 답했다. 이 이야기는 나폴레옹 힐이 쓴 『놓치고 싶지 않은 나의 꿈 나의 인생』이라는 책에 소개되어 있다.

요즘 우리 집은 초등학생 딸아이 때문에 전쟁이다. 방과 후 수업에 자주 빠지다 보니 학교로부터 '지각했다, 숙제를 해오지 않았다' 등의 메시지가 수시로 온다. 수업에 빠지는 이유는 친구들이 노는 것을 보고 같이 놀고 싶다는 이유밖에 없다. 아이들은 친구들과 뛰어놀고, 엉뚱한 상상을 하는 것만으로 충분하다 생각한다. 그 나이대가 갖고 있는 본질이고 특성이기 때문이다. 필자는 혼을 내는 것이 능사는 아니라 생각해서 꾸짖는 아내 옆에서 아이들에게 조용히 피난처가 되어준다. 우리는 아이들이 기뻐할 때 기분이 좋다. 아이들은 놀 때 기뻐한다. 그렇다면 우리는 아이들이 노는 모습을 보고 좋아해야 하는데 사실상 그렇지는 못다.

최근 우리나라 학생들은 권장시간 이상으로 공부에 시달린다는 조사결과가 있었다. 초등학생의 경우 대다수가 숙제 등 학습에 시달리는 것이다. 수면 시간 부족, 운동량 부족 등은 충분히 예상한 결과다. 사람들이 경쟁에 돌입한 상황에서 누구만 놀게 할 수도 없는 상황이 아이들을 불행하게 만들고 있다. 학교 조별 과제 수행을 해야 하는데 학원 때문에 늦는 다른 조원으로 인해 밤늦게 모여 과제를 수행하는 일도 다반사로 벌어지고 있다. 어린 딸도 숙제를 하다보면 11시를 넘기는 날이 대부분이다. 그래서인지 요즘 아이들의 어린이날 소원은 '마음껏 쉬고 싶다는 것'이다. 차라리 공부만 할 거라면 빨리 어른이 되고 싶다는 말까지 한다.

이들이 공부에 내몰리는 이유는 '부모들의 좋은 직업을 갖기' 열풍 때문이다. 20년 후에는 지금 일자리의 47%가 사라질 것이라 한다. 지금 아이들은 미래에 없어질 직업을 보고 공부에 내몰리고 있다. 이 시점에서 염려스러운 것은 획일화된 공교육과 학원 수업이 창의력과 상상력을 억제하고 고유한 감성까지 마비시키지 않을까 하는 것이다.

요즘 학교 놀이교육의 중요성을 인식하고 예산과 정책을 뒷받침하는 지자체도 많아지고 있다. 선진국도 창의적인 인재가 미래를 이끈다는 확신으로 놀 수 있는 충분한 환경을 만들려고 노력 중이다. 미래를 이끌어갈 아이들에게 필요한 것은 단순한 지식보다 상상력이다. 기계가 소설을 쓰고, 인공지능으로 질문하면 답을 찾는 시대에 앞의 헨리 포드 사례처럼 단순 지식을 습득하는데 소중한 인생 전반부를 소비하는 게 무슨 소용이 있을지 진지하게 고민해야 한다.

둘째, 열정의 시작은 원대한 비전에 있다

'땀과 눈물은 거짓말을 하지 않는다.' 이것은 발레리나 강수진씨의 좌우명이다. 하루 15시간 이상 훈련과 매일 3켤레의 신발이 닳을 정도로 훈련을 거듭했다. 동양인으로서 편견에 부딪힐 때마다 가장 많이 들었던 말이 "넌 안돼"였다. 그러나 그녀는 "내겐 내일이 없다."라고 외쳤다. 과거는 이미 지나갔고, 미래는 오지 않았기 때문에 오늘 최선을 다한 것이다. 인생

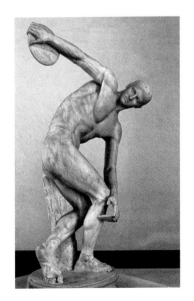

에서 가장 큰 위험은 아무것도 하지 않는 일이라 했는데, 시쳇말로 무한도전을 한 셈이다.

김연아 선수는 천주교 세례명인 스텔라처럼 빛을 발하기까지 수많은 노력을 계

여러 가지 면에서 어설프고 서툴고 실수도 많지만, 그럼에도 젊음이어야 하는 이유는 뭘까. 바로 '도전'과 '열정'에 있을 것이다.

속했다. 얼마나 연습을 많이 했던지, 4개월은 신어야 하는 스케이트화가 일주일을 버티지 못하고 망가질 정도였다. 아이스링크가 부족해 다른 사람들이 없는 시간에 공용 스케이트장을 쓰기 위해 새벽에 일어나 연습했다. 매일 점프하고 넘어진 횟수만 해도 연간 수천 번이 넘었다.

영국 하트퍼드셔대학교 심리학과 리처드 와이즈먼Richard Wiseman 교수는 성공과 실패의 관건은 '계획의 존재 여부'라고 했다. 세계적으로 성공한 사람들은 세계 최고가 되겠다는 목표가 뚜렷했고, 목표한 바를 이루려 흔들림 없이 노력한 결과 최고의 위치에 올랐다. 노력은 습관이었다. 일상의 작은 습관이 큰 차이를 만든다. '머리 좋은 사람은 노력하는 사람 못 이기고, 노력하는 사람은 즐기는 사람 못 이긴다'는 말이 있다. 아무리 머리가 좋아도 노력하지 않으면 아무것도 이룰 수 없다. 모든 일에 즐기는 자세로 꾸준히 임하다 보면 어느덧 최고의 자리에 오를 것이다. 영리한 머리를 가지고 태어나지 않았더라도 끊임없이 훈련하고 연습하면 자기 분야에서 고수가 될 수 있다. 능력이 부족하다고 판단되면 남들보다 더 많은 시간을 투자하면 된다. 내일을 위해선 오늘을 투자해야 한다.

목표로 가는 길에는 많은 유혹이 도사리고 있고, 주위 사람들도 고운 시선으로 보지 않을 수 있다. 시간을 뺏는 사람이 있을 수도 있다. 그럴 때는 특히 더 경계해야 한다. 시간만 빼앗기는 것이 아니라, 꿈까지 빼앗길 수 있기 때문이다. 시간을 잘 관리하면서 뜻하는 바를 실행해야만 한다.

영국 윈스턴 처칠Winston Churchill 전 수상의 옥스퍼드대학 졸업식 축사는 많은 이들로 하여금 오랫동안 회자되고 있다.

"포기하지 마. 절대로 포기하지 마.
절대로 절대로 포기하지 마."

그가 졸업생들에게 전하는 짧지만 강력한 메시지였다. 글로벌 무한경쟁 사회에서는 지식과 역량도 중요하지만, 미래에 대한 비전이 매우 중요한 경쟁력이다. 비전 없는 도전은 나침반 없이 감행하는 무모한 항해와 같다. 해당 분야의 최고가 되는 데는 열정이 밑거름된다. 1만 시간의 법칙은 배신하지 않는다. 꾸준함과 끈기를 당해낼 재간은 없다. 열정의 시작은 원대한 비전에 있다.

"실천은 생각에서 나오는 것이 아니라
책임질 준비를 하는 데서 나온다."

디트리히 본회퍼

6장

음식
시민

26

안전한 노후를
준비하는 방법

　본격적인 100세 시대가 도래하였다. 인구절벽 사회가 되면서 피부로 느껴질 만큼 노년 문제는 성큼 다가와 있다. 어떻게 대비하고 준비하는 것이 좋을까? 자세히 살펴보아야 할 것이다. 통계청의 『100세 이상 고령자조사 집계 결과』를 보면 2010년 11월 현재 100세 이상은 여성 1,580명, 남성 256명으로 총 1,836명이었다. 2005년 총 961명보다 91.1% 늘어났다. 참고로 통계청의 『2014년 청소년 통계』를 기준으로 9세에서 24세 해당하는 청소년 인구는 983만 8,000명으로 전년보다 20만 1,000명 줄었다. 청소년 인구가 차지하는 비중은 19.5%로 1978년(36.9%) 정점 이후 지속해서 감소하고 있다. 2060년에는 501만 1,000명으로 줄어들 것으로 예상하고 있다. 이런 상황에서 우리나라는 노인 빈곤율 1위, 노인 자살률 1위의 국가다.

　UN의 『세계인구 고령화 보고서』에서는 100세 장수가 보편화된 시대를 의미하는 호모 헌드레드Homo Hundred라는 새로운 용어를 사용했는데 앞으로 다가올 장수 시대를 맞아 이에 대한 인식을 새롭게 해야 할 것 같다. 이와 관련하여 앞으로 기다려지는 노후를 위해 준비해야 할 몇 가지 방법들을 소개하고자 한다.

100세 시대, 기다려지는 노후를 위하여

첫째, 편안한 은퇴의 밑바탕인 건강에 신경을 써야 한다. 건강을 잃으면 모든 것을 잃는다. 노년에는 고독孤獨, 무직無職, 무전無錢과 함께 질병疾病이 장수 리스크에 속한다. 우리나라의 기대수명은 80대가 넘었으나 건강수명은 70세로 10여 년을 질병을 앓고 있는 셈이다. 질병의 따른 의료비용을 고려하면 기대수명뿐만 아니라 질병 없이 건강하게 살 수 있는 건강수명에 더 많은 관심을 둬야 한다.

둘째, 취미, 여가 또는 직업을 가져야 한다. 노후에 무료함을 달랠 수 있는 취미나 여가 등을 가질 것을 제안하고 싶다. 최근에는 SNS에 관심을 갖는 분들이 많은데, 배우기 쉬운 데다가 친구 관계를 확장하기 좋으니 생활의 활력소로 삼아도 좋을 듯싶다.

셋째, 자기계발에 힘써야 한다. 고용노동부에서 발표한 2010년말 300인 이상 사업장의 평균 정년퇴직 연령이 57.3세로 조사되었다. 실제 퇴직 연령은 이보다 낮을 것이다. 은퇴 후 앞으로 30여 년을 더 살아야 한다. 은퇴 후에 할 수 있는 기술을 현업에 있을 때 배워 두어야 하며 자격증 취득 등의 방법을 통해 성취감이나 자존감을 기르는 것도 필요하다.

넷째, 인간관계를 돈독히 할 필요가 있다. 노후에도 배우자, 친구나 가족과의 친밀한 관계를 꾸준히 유지하여 정서적으로 안정을 유지해야 한다. 은퇴 생활의 만족감은 경제적인 측면과 아울러 상호관계 등 비경제적인 측면에서 오는 경우가 많다고 한다. 다양한 사회참여 활동을 통해 새로운 관계를 형성하는 것도 좋은 방법이다.

다섯째, 자산을 리모델링해야 한다. 최근 경영연구소에서 발표한 『한국인 노후준비 실태 보고서』에 따르면 은퇴 예정 가구의 예상 노후자금은 월 109만 원으로 필요자금인 235만 원의 절반 수준에 못 미친다. 다른 연구기관에 따르면 은퇴 후 여생을 위해 필요한 총 예상금액은 6억 원 정도라고 하는 조사 결과도 있다. 우리나라의 자산구성은 70~80%가 부동산 자산임을 고려하면, 부동산을 줄여 금융자산으로 전환하여 노후생활비로 충당할 준비를 해야 한다는 결론을 얻을 수 있다.

늙어가는 것도 서러운데 사회적으로 냉대받고 있는 것은 아닌지 돌아보게 한다. 옛날처럼 권위도 서지 않고, 잔소리만 많다고 여기는 젊은이들도 많다. 노인들은 살아온 날들이 많으니 살아갈 날이 많은 젊은이보다 할 얘기가 많을 수밖에 없다. '노인들한테 뭐라 하지 마라. 내가 갈 길이다. 젊은이들한테 뭐

라 하지 마라. 내가 걸어온 길이다'는 말이 있다. 한 번은 입장
바꿔서 생각할 필요가 있는 대목이다.

노인의 기대수명이 1980년 65.7세에서 2010년 80.8세로
10년마다 평균 5세씩 증가하고 있다. 준비 없는 100세는 우리
에게 '축복'이 아니라 '재앙'이다. 노후가 불행한 일이 되지 않
고 기다려지는 노후가 되도록 각자의 상황에 맞춰 목표를 분
명히 하고 은퇴 후에는 정말 하고 싶은 일을 할 수 있도록 노
력해야 한다.

실버 브랜딩을 준비하는 시간을 갖자

UN에서는 인구 중에 65세 노인 인구의 비율이 7% 이상인
사회를 고령화 사회, 14% 이상이면 고령 사회, 20% 이상이면
초고령 사회라고 정의하고 있다. 우리나라는 2000년도부터
고령화 사회에 진입했고, 2014년 고령 인구 비율은 12.7%다.
이 추세라면 2018년에 고령 사회, 2026년에는 초고령 사회로
진입할 것으로 예측되고 있다.

『2014년 고령자 통계』 자료에 의하면, 65세 이상 노인은 여
성 372만 8천 명, 남성 265만 8천 명으로 총 638만 6천 명이
다. 전체인구 대비 노인 비율은 1970년 3.1%에서 지속적으로
증가하여 2030년 24.3%, 2050년 37.4% 수준에 이를 것으로
전망하고 있고, 특히 85세 이상 초고령 인구 비율은 2013년

0.9%에서 2030년 2.5%, 2050년 7.7%로 크게 증가할 것으로 전망하고 있다. 노년부양비율은 16.7로 생산가능인구(15~64세) 6명이 고령자 1명을 부양하는 꼴이라고 한다.

이러한 상황에서 오래 사는 것이 재앙이 아니라 축복이 되기 위해서는 조금이라도 늙기 전에 목적과 가치에 맞게 자신을 브랜드화하는 노력이 필요하다. '현재의 내'가 '노후의 나'를 만들어가는 '실버브랜딩Silver Branding, 즉 노후의 자기다움 만들기'를 준비하는 시간으로 만들 것을 제안하고 싶다. 의미 있는 삶, 개념이 있는 삶, 이야기 있는 삶을 살 것을 권한다.

첫째, 의미 있는 삶이다. 의미 있게 사는 방법은 다양하지만 조금만 신경을 쓰면 할 수 있는 일들이 많다. 자신의 삶을 정리하는 책을 써볼 것을 추천한다. 이를 계기로 자기의 지혜와 경험을 피는 강의를 할 수 있고, 살아 있다는 의미 있는 증거를 남길 수도 있다. 또한 봉사라는 좋은 습관을 통해 주위를 돕는 것도 가치 있는 삶이다.

둘째, 개념이 있는 삶이다. 무절제한 삶보다는 계획과 질서 있는 생활을 통해 미래를 준비하는 것이다. 목표와 목적 없이 직장에서 정년만 바라보는 생활은 안락사시키는 것과 같고 스스로를 유폐시키는 것과 같다. 늙는다는 것은 주름이 늘고 머리가 하얗게 변하는 것만을 의미하지는 않는다. 나이 든다는 것은 자기를 하나씩 정리해 나가는 것이고 곡식으로 치면 익어가는 것이다. 개념 있는 삶이란 꿈과 대화가 하얗게 바래지 않게 노력하는 것이고 자기를 정리해 나가는 것을 의미한다.

셋째, 이야기가 있는 삶이다. 이제는 '생각하는 것'에서 부가 가치가 나오는 시대가 되었다. 성공하는 것도 좋지만, 오히려 실패에 따른 경험이 강의 소재가 될 수 있고 자신의 브랜드 가치를 높이는 소재가 될 수도 있다. 실패 속에는 성공의 씨앗도 함께 있기 때문이다. 이 세상의 무대에 주연으로서 자신이 겪은 경험의 조각을 모아서 한편의 이야기를 만드는 작가가 되어 보자.

주어진 시간은 누구에게나 똑같다. 시간을 잘 활용하여 노후의 자기를 완성하는 데 필요한 것이 무엇인지 지금부터 생각을 정리하고 메모하면서 의지를 습관화해야 한다. 1년의 새벽은 10년의 미래라는 말처럼 이러한 노력을 일찍부터 시작해 보자.

아무 대책 없이 노후를 맞이하는 것보다는 차근차근 주어진 시간을 균형 있게 나눠 쓰는 습관이 중요하다. 한 치 앞도 알 수 없는 게 인생이지만, 시간은 들이는 만큼 절대 배신하지 않는다. 나는 그 사실을 믿는다. 노후의 시간 또한 나다움이 발현될 수 있다. 나답게 사는 방법에 대해서 진지하게 고민하는 시간으로 남겨두었으면 한다.

27

우리가 먹은 것이
삼대(三代) 간다

　　살아가는 데 기본적인 요소가 의식주衣食住이다. 국민
소득 1인당 3만 불 시대를 눈앞에 두고 있다고는 하지만 절대
적인 빈곤계층이 많다. 이러한 상황을 술집의 빌 게이츠의 사
례를 들어 설명한다. 그가 술집에 나타나면 평균 소득은 올라
가지만, 나머지 사람들의 소득은 영향이 없다는 것이다. 일종
의 착시효과를 만들어 내는 것이다. 횡단보도 앞에서 택시를
기다리고 있었다. 30대 후반 여성이 초췌한 모습으로 다가오
더니 "아이가 있는데 밥을 못 먹었으니 2000원만 달라"고 하
는 것이었다. 지극히 정상적으로 보이는 사람이 구걸을 하니
좋은 생각이 들지 않았다. 주위에 아이가 보이지 않았기 때문
이기도 했다. "젊으신 분이 왜 이런 거 하냐"고 하면서 원하는
금액을 건네주었다.

　택시 타고 오면서 마음에 걸려 뒤를 돌아보았다. 초등학생
으로 보이는 아이가 반가운 표정으로 그 여성의 손을 잡고 있

었다. 택시를 돌려서 여성 앞으로 갔다. 아이가 있는 상황에서, 낯선 사람에게 부탁할 때 얼마나 용기가 필요했을까 생각하니 마음이 아팠다. 식사하라고 몇만 원을 건네주었다. 여성과 아이 모두 행복한 표정을 지으니 가슴이 뿌듯해졌다.

한 끼 먹을 것을 걱정하는 이웃이 많다는 것을 새삼 느낀 하루였다. 신은 우리를 가르칠 때는 채찍을 쓰지 않고, 시간으로 다스린다고 했던가. 우리가 쉽게 먹고, 쉽게 입고, 별 생각 없이 잠자는 것이 어떤 이에게는 간절하고, 삶의 전부일 수 있겠다는 생각을 해보면서 반성하는 하루였다.

쌀 가격 VS 치킨 가격

쌀 가격과 치킨 가격, 일견 유사한 점이 없는 듯 보이지만 쌀은 국민 주식, 치킨은 국민 간식이라고 하듯이 국민들이 자주 먹는 것이라는 공통점이 있다. 최근 우리나라 치킨집이 전세계 맥도날드 매장 수보다 많다 하여 사람들을 놀라게 하더니, 생닭 가격이 내려도 치킨값이 그대로라고 하면서 소비자단체는 가격을 내리라고 한다. 대부분 사람들은 치킨의 원가가 어떻든 간에 아랑곳하지 않고 사 먹는다. 수요가 있기때문에 최종 가격이 비싸더라도 지갑을 연다.

쌀값 역시 수요와 공급 측면에서 결정된다. 생산량이 많으면 가격은 떨어질 것이고, 소비량이 줄어도 가격은 떨어진다. 최근 3년간 연속된 풍작으로 쌀 생산량이 늘었고, 쌀 가격은 하락 추세를 보이고 있다.

서구적인 식습관 등으로 1인당 쌀 소비량은 줄어들고 있으며, 재고 물량이 늘어나 정부양곡 재고 관리 비용만 해도 연간 4000억을 넘는다. 대북지원을 하자는 요구도 많다. 그러나 쌀 수출국들의 눈치를 보지 않을 수 없다는 점과 근본적인 해결책 없이 매년 대북지원으로 문제를 해결할 수 없다는 논리 등으로 쉽게 결정을 하지 못하고 있다.

통상 쌀 가격은 그해의 생산량과 쌀 소비량을 예측해 적정 가격이 결정된다. 치킨은 원가가 어느 정도 산출되지만, 쌀은 순수한 인건비 외에 부가적으로 제공되는 가치가 워낙 많아 일일이 원가를 산출하기가 어렵다.

쌀가격에 원가방식을 적용해야 할까? 그렇다면 쌀을 치킨처럼 원가방식으로 계산하면 얼마에 팔아야 적당할까. 농업인이 농업과 농촌을 통해 도시민들에게 식량안보나 식량 주권 가치 제공, 도시민들의 정서함양, 환경·생태계 보전, 홍수조절 기능 제공 등 돈으로 환산할 수 없는 가치를 제공해 준다. 여기에다 경관 보존, 지역사회 유지 기능까지 경제적 가격으로 환산할 수 없는 훨씬 많은 경제외적인 가치까지 제공한다. 이러한 다원적 가치를 감안한다면 농산물은 훨씬 비싸게 팔리는 게 당연할 것이다.

소비자들은 싫으면 구입하지 않으면 그만이다. 하지만 농업인들은 통제할 수 없는 자연이 주는 결과에 따라 삶을 살아야 하는 리스크를 안고 있다. 이러한 리스크 비용은 생산자와 소비자가 공동 분담하는 것이 맞는다고 생각한다.

이처럼 농업인이 부담하는 리스크도 원가에 산입되면 원가는 더 높아지게 된다. 영국의 경우 국민의 92%가 농촌을 보존하는 데 도덕적 의무를 갖고 있다는 조사결과가 있듯이 우리나라도 농업인과 소비자, 농촌과 도시가 같이 부담해야 한다는 인식을 공유하는 게 필요하다.

조선시대 정약용도 "농업을 장려하는 게 이 나라의 살길이다. 이를 위해 낮은 신분상의 지위, 상인보다 적은 이율, 장인보다 힘든 노동을 개선해야 한다."고 말하지 않았는가. 실제 쌀 가격이든, 치킨 가격이든 적당한 가격에 유통이 시작된다. 유통 상인이 슈퍼 갑인 경우가 많다. 가격이 왜곡되고, 정작 농업인 손에 들어가야 할 이익이 유통 상인에게 집중된다.

주위를 봐도 공산품처럼 거래만 해서 농업인보다 더 많은 돈을 벌고 있는 업자들을 종종 보게 된다. 재주는 농업인이 부리고 돈은 중간상이 가져가는 형태다. 쌀 가격이든, 치킨 가격이든 합리적인 가격에 거래되었으면 한다.

우리가 먹은 것이 삼대(三代) 간다

음식을 뜻하는 식食이라는 한자를 보면 사람 인人과 어질 량良이 같이 있다. 음식은 자고로 사람을 이롭게 해야 한다. 그런데 자동차에 기름을 넣을 때는 좋은 기름을 찾아다니지만, 정작 몸의 에너지인 음식 먹을 때는 그렇게 하지 않는 것 같다. 그냥 한 끼 때우는 수단이고, 요즘은 이마저도 귀찮아 굶기 일쑤다.

'우리가 먹는 것이 삼대 간다'는 말이 있다. 우리의 몸은 유전적으로 3대 전의 조상이 먹었던 음식에 의해 만들어져 있고, 우리가 먹는 음식이 3대 후의 손자·손녀의 몸을 만든다는 사실을 경고하는 말이다. 유전자는 먹는 음식에 따라 나쁜 유전자가 발현될 수도 있고, 좋은 유전자가 발현될 수도 있다는 '후생유전학'의 논리를 뒷받침하는 말이기도 한다. 결국 음식이 사람을 만들고, 사람이 음식을 만든다. 하지만 음식이 사람을 만드는 경우가 더 많다. 최근 잘못된 식습관·식생활에 의해 당뇨병, 고혈압 등 각종 생활 습관병, 즉 비전염성 질병이 많이 발생하고 있기 때문이다.

음식과 생활습관병과의 연관관계를 보여주는 사례는 많다. 남태평양의 작은 나라 파푸아뉴기니, 나우루공화국 그리고 미크로네시아는 사회가 서구화되면서 사냥과 전통음식 대신 가공식품 패스트푸드와 같은 편의주의적인 식습관을 선호하면서 당뇨병 발병률 세계 최고 수준이 이르렀다.

학자들은 이러한 발병 양상은 유전적인 요인보다는 식습관 때문이라는 결론을 내렸다. 유전학적으로 보면 검약 유전자 thrifty genotype와 관련이 있다. 이 유전자는 사냥감이 부족했던 시기, 적은 양의 음식이 몸에 들어오더라도 에너지를 효율적으로 비축하는 기능을 한다. 그러나 현대와 같이 고칼로리·고 지방 음식에도 같은 역할을 하면서 에너지가 과다 비축되면서 비만 등 각종 질병이 발생한다는 것이다. 미국 국립 암 협회지가 밝힌 암 발생 원인별 기여율을 보더라도 음식이 35%로 높다는 것을 알 수 있다.

현재 우리나라는 남자는 위암과 대장암, 여자는 갑상샘암과 위암이 늘고 있다. 음식과 관련된 암이 늘고 있는데, 위의 사례를 통해 서구화된 음식이 생활습관병의 일부 원인임을 짐작할 수 있다.

우리나라는 주곡인 쌀의 자급이 이루어진 해가 1977년이다. 인류역사가 최소한 200만 년 이상 된다는 점을 고려하면 불과 37년 정도 찰나의 순간 동안만 먹을거리 걱정 없이 살고 있다. 역시 우리나라 사람의 몸에도 검약 유전자가 세팅되어 있

우리나라의 주식인 쌀 소비가 감소하고 있다. 못 먹어서 아픈 시대는 지나갔고, 잘못 먹어서 아픈 시대가 도래했다.

다. 경제적으로 잘살고 식습관이 서구화되면서 전통적인 음식은 외면한 채 각종 패스트푸드, 설탕 음료에 익숙해지면서 각종 질병이 늘어나고 있다.

우리나라 시골 학생의 비만율이 도시학생 비만율보다 높다는 결과가 있었다. 원인 중 하나는 시골 학생들이 도시 학생들보다 패스트 푸드와 같은 서구식 음식에 노출된 시기가 최근이기 때문이다. 물론 음식이 모든 병의 근원이라는 얘기는 아니다. 하지만 음식이 병이 되지 않으려면 조상 대대로 내려온 전통음식을 먹고, 지역마다 고유한 식습관을 따라야 한다. 세계 5대 건강식품의 하나인 김치, 암을 예방한다는 청국장과 같은 장류 음식 등 몸에 좋은 음식이 많다. 그러한 음식이 우리 몸과 궁합도 맞다. 히포크라테스는 "음식물로 고치지 못하는 병은 약으로도 고치지 못한다."고 했다. 우리가 먹는 한 끼가 우리 후손의 유전형질을 결정짓는다는 것을 명심하고, 우리 땅에서 나는 농산물이 곧 건강임을 잊지 말아야 한다.

건강한 노후 생활을 위해서는 건강한 식생활이 가장 중요할 것이다. 음식이 병이 된다는 사례는 여러 차례 익히 들어서 알고 있다. 더군다나 코로나 시대를 살면서 개인위생을 철저히 하고, 신경 써야 한다는 것은 백번 강조해도 모자랄 것이다.

◆ 캐나다 맥길대 연구진이 6~11세 아이 3만 7,000여 명의 부모들을 대상으로 아이 교육방식을 조사한 결과, 부모가 권위적일수록 자녀의 비만율이 높아진다는 사실을 밝혀냈다.

28

식습관에도
컬쳐코드(Culture Code)가 있다

요즘 아이들은 김치*뿐만 아니라 고유 전통음식을 잘 먹지 않는다고 한다. 서구화된 식습관 등 다양한 원인이 있겠지만 근본 이유는 부모에게 있을 수 있다. 사람은 태어나 6개월 정도가 되면 새로운 것에 대한 두려움이 생긴다. 이를 가리켜 네오포비아 neophobia라고 하는데 2세~5세에 최고조에 달한다고 한다. 음식도 여기에 해당한다. 그래서 어릴 때 경험하지 않은 것에 대해서는 성인이 되어서도 멀리하게 된다. 세 살 버릇 여든까지 간다고 하지 않던가. 자녀가 김치 등의 전통음

---

* 미국 건강전문지 『헬스 Health』는 세계 5대 건강식품 중 하나로 김치(Kimchi)를 선정했다. 선정 이유는 소화를 향상시키는 유산균이 많고 건강에 좋은 박테리아가 많으며, 암세포의 성장을 억제하는 효과가 있다고 선정 이유를 밝혔다. 김치는 러시아의 생물학연구소로부터 국제우주정거장에서 먹을 수 있는 우주식품으로 인증받기도 하였다.

식을 가까이하게 하려면 일정 부분 부모의 역할이 필요하다.

서울대학교병원에 따르면 소아비만은 부모의 비만과 연관이 있고 부모가 비만이면 자식의 80%, 부모 중 한쪽이 비만이면 40% 정도에서 발생한다고 한다. 그만큼 부모의 식습관과 아이들의 식습관은 밀접하게 관련되어 있다. 자녀들이 전통음식을 좋아하게 만들기에 앞서 부모의 식습관 변화도 필요하다.

식습관도 유전이다

경제 상황과 맞물려 맞벌이 가구는 늘고 있다. 그러다 보니 가정에서 아이와 함께 식사하는 경우가 드물다. 혼자서 밥을 먹는 아이들도 많다. 혼밥할수록 편식하게 된다고 하니 아이들만 나무랄 일이 아닌 것 같다. 반면에 가족 외식도 상대적으로 늘었다. 특히 패스트푸드 음식으로 식사 해결하는 경우가 많은데, 가족과 보내는 즐거운 추억과 음식에 대한 경험이 결합하면서 아이들은 커서도 서구화된 음식을 좋아하게 되고 다시 그 자녀들에게 대물림하게 되는 것이다.

『컬쳐코드 culture code』의 저자 클로테르 라파이유 Clotaire Rapaille 박사는 특정 대상에 대한 경험과 감정이 결합하면 무의식이 남는데, 우리의 사고 과정을 강하게 규정하고 미래의 행동을 결정하게 되는 현상을 각인 imprint이라 했다. (이러한 각인은 이성적으로 학습된것이라기 보다는 7세 이전의 문화적 경험으로 결정된다고 한다.)

가족과 함께 음식을 먹는 것은 하나의 문화다. 식탁에서 자녀와 함께하는 시간을 가지는 것은 자녀와 문화를 공유하는 것과 같다. 자녀와 함께하는 식사는 정서적 유대감과 안정감을 주고 인성교육에서 도움이 된다. 아울러 가족과 함께 먹은 전통음식은 즐거운 추억과 결합하는 각인이 일어났을 것이다. 때문에 성장해서도 전통음식을 자연스럽게 찾게 된다. 먹는 것이 삼대를ft 간다는 말이 있다. 지금 자녀의 건강은 현재 먹는 음식에 달렸다는 얘기다. 올바른 먹거리를 통해 자녀들이 건강하게 자랄 수 있도록 부모의 관심과 노력이 필요하다.

음식격차(Food Divide)

"먹는 것이 바로 그 사람이다You are what you eat."라는 말이 있다. 무엇을 먹었느냐에 따라 건강상태, 이로 인한 정신의 온전함이 달라진다는 말이다. 의학의 아버지 히포크라테스 Hippocrates는 "병을 낫게 하는 것은 자연이다.", "음식으로 고칠 수 없는 병은 약으로도 고칠 수 없다."는 말로 먹는 것이 중요함을 함축적으로 표현했다.

후성유전학Epigenetics이라는 의학 분야가 있다. 전통유전학이 부모로부터 받은 형질이 변하지 않는다고 가정한다면, 후성유전학은 유전자의 발현 여부는 후천적으로 조절될 수 있다고 보고 있다. 환경이 유전자의 행동에 영향을 미치고, 생활방식이 유전자에 저장되어 후세대로 전달된다고 보는 것이다. 이렇게 되면 생활방식의 변화를 통해 체질과 발병의 예방 또는 억제가 가능해진다.

일란성 쌍둥이가 부모로부터 당뇨 등과 같은 질환을 발생시키는 유전자를 가지고 태어났으나, 식생활·식습관 등의 영향으로 한 명은 당뇨병이 발생하지 않았다거나, 서구화된 식습관에 노출된 이민자들과 모국에 있는 가족들과의 발병 양상이 다른 경우 등 후성유전학의 논리를 뒷받침할 만한 사례는 많다.

최근 대통령은 다보스 포럼 개막연설에서 물질적 격차Material Divide, 디지털 격차Digital Divide, 그리고 창의성 격차Creative Divide라는 표현을 사용했다. 그러나 100세 시대를 대비하면서 더 주목해야 할 것은 우리가 무엇을 먹고, 어떤 것을 먹는지, 음식의 선택 차이 탓에 건강에 어떤 변화가 발생하는지에 관한 음식 격차Food Divide에도 주목해야 한다.

최근 보건복지부 발표 자료를 보면, 소득이 높을수록 운동을 더 많이 하고, 비만율은 더 낮은 것으로 나타나 저소득층이 상대적으로 더 많은 위험에 노출되어 있음을 알 수 있다. 수많은 변수가 있겠지만 먹는 것이 현상에 많은 영향을 미쳤다고 본다. 소득이 높을수록 건강을 챙길 여건이 좋을 뿐만 아니라 안전한 음식에 대한 선택의 폭이 넓기 때문이다.

미국은 최소한 좋은 음식을 먹을 수 있는 권리를 사회가 제공해야 한다는 페어푸드Fair Food 운동을 전개하여 빈곤층 및 사회적 약자에게 유기농 식료품을 저렴한 가격에 공급하고 있다. 우리나라도 저소득층의 경제 불평등 문제가 건강 불평등으로까지 이어지지 않도록 음식격차를 줄이는 다양한 정책을 시행해야 한다.

한편 식사를 대충하고, 농업에 대해 무지하며, 자신이 먹는 음식이 어떤 재료로 만들어졌는지 궁금해하지 않는 사람을 일컬어 음식 문맹자라 부른다. 우리는 공산품은 구입하는데 많은 고민을 하지만, 정작 먹을거리에 대해서는 그만큼 고민하지 않는다.

이제부터라도 지금 먹는 것이 어디에서 왔는지, 누구의 손에서 길러졌는지 생각하면서 선택해야 한다. 제철음식과 신토불이 음식을 선택하는 것만으로도 음식격차와 음식문맹을 줄일 수 있다.

음식 시민(Food Citizen)으로 거듭나자

코로나로 인해 비대면, 비접촉의 언택트Untact와 온택트On-tact 산업이 커지면서 인터넷 쇼핑 매출이 크게 증가하고 가까운 곳에서 식재료를 구입해서 요리하는 가정이 늘고 있다. 홈쿡 등의 영향으로 간편 가정식 제품의 매출도 덩달아 늘고 있다. 지난해 '밥 잘 사주는 이쁜 엄마'가 트렌드 키워드가 된 적이 있다. 맞벌이 영향으로 외식에 많이 의존한다는 것이다. 요즘은 음식 조리를 하는 게 아니라 조립한다는 우스갯소리도 있다. 이 시점에서 음식에 대한 올바른 이해가 필요하다.

음식에 대한 개념이 없는 경우를 음식 문맹Food Blindness 상태라 한다. 음식 문맹은 음식을 조리할 줄 모르고, 건강과 직결되는 음식 구매에는 비용은 아끼면서 정작 과시적인 소비에는 아끼지 않는다. 그리고 음식과 건강의 연관성을 이해못하고 짧은 시간에 음식을 집어 삼켜버리거나 음식 출처에 대한 궁금함이 없다.

한편 코로나 위기가 장기적으로 지속되면서 간편식 의존도가 높아지고 패스트푸드 같은 강한 맛에 중독되는 것이 우려된다. 제조돼 유통되는 가공 음식들은 값싼 수입산 재료에 의존해서 만들어질 가능성이 크다. 식량자급률과 국내 식량 공급체계를 흔들 수 있게 됐다. 조사에 따르면 가공식품에 의존하는 청소년들은 주의력 결핍, 과잉행동, 장애 유발 등 아이들의 미래를 어둡게 할 수 있다. 가공식품은 식재료가 어떻게 조달되는지, 어떤 가공 과정을 거쳐 만들어지는지 알 수 없다는 문제도 있다.

'먹는 음식이 바로 당신이다'는 말이 있다. 그만큼 음식은 우리 몸에 직접 들어오기에 다른 것과 비교할 수 없을 정도로 중요하다. 음식을 가격과 편리성에 근거해 선택할 것이 아니라 우리 몸에 어떤 영향을 끼치는지 좀체 알고 먹어야 한다. 음식에 대한 관심과 함께 농업의 조력자이자 공동생산자가 돼야 한다.

코로나 시대는 우리에게 많은 생각과 과제를 던지고 있다. 음식을 조리하는 방법은 건강뿐만 아니라 나라 식량 공급체계까지 영향을 미치는 중요한 사안이다. 집에 머무는 시간이 많아지면서 가족이 함께 요리하는 경우도 많아졌다. 그렇기 때문에 학교에서 요리 실습을 교과과정에 포함하거나, 요리나 음식에 대한 교육을 구체적으로 강화할 필요가 있다. 즉, 먹거리의 주체성을 확보하는 음식 시민Food Citizen으로 거듭나고, 가족 간에 둘러앉아 먹는 식사로 인해 가정이 화목해지는 계기가 됐으면 한다.

실제 생협에서 나오는 식재료만으로 식생활을 이어가면서 온 가족 아토피 피부염을 고쳤다는 사례도 들은 바 있다. 체질에 맞게 음식을 먹고, 식습관을 바꾸면 나 자신이 건강해지고 행복해짐과 동시에 가족도 좋은 영향을 받게 될 것이다. 그 행복이 삼대三代를 가는 것이다. 나 자신을 잘 아는 것만이 건강한 삶을 유지하고 지속하는 비결이다.

29

느림의 미학, 슬로푸드

전염병이 지속되면서 개인위생과 방역에 더욱 민감해졌다. 또한 바른 먹거리에 대한 관심도 높아졌다. 식생활은 단순히 노후를 준비하기 위한 과정에 필요한 것만은 아니다. 한 가족이 감염되면 다같이 감염되는 것이나 마찬가지므로 서로가 서로를 배려하기 위해서라도 깨끗하고 정결한 음식을 먹는 것이 코로나 시대에 중요한 이슈라고 생각한다. 이미 오래전 프랑스에서는 패스트푸드 반대 운동을 펼친 바 있다.

슬로푸드 운동 : 모두가 함께 사는 방법

슬로푸드 운동은 1986년 패스트푸드 음식의 확산에 대한 반대로 일어났다. 당시 잡지 편집자였던 카를로 페트리니Carlo Petrini가 시작했으며 1989년 프랑스에서 슬로푸드 선언문을 발표하면서 범세계적인 운동으로 확산되었다. 지금은 지역농업을 활성화하고 생태계를 보존하며 음식을 통해 삶의 질을 바꾸는 운동의 성격을 띠고 있다.

생물 종의 다양성을 추구하는 뜻도 내포하고 있다. 패스트푸드와 같이 전 세계적으로 맛이 표준화되고, 미각이 동질화되면 특정 종자만 필요로 하게 된다. 상품성 있는 종자만 선호하게 되어 생물 종류의 다양성이 훼손된다. 음식이 규격화되고 표준화됨으로 인해 식량 위기까지 겪을 수 있다. 실제로 감자를 주식으로 하던 아일랜드의 감자 기근 사례가 있다. 1840년 감자 마름병이 번져 같은 종류의 감자가 대부분 죽었고, 결국 100만여 명에 이르는 사람들이 굶어 죽었다.

변화와 위기에 적응할 수 있는 시스템이 갖추어지기 위해서는 생물의 다양성이 필요하다. 결국 인류를 지속가능하게 만드는 길이다. 슬로푸드 운동은 지속 가능한 땅에서 생산된 깨끗하고 생산자가 정당한 대가를 받는 공정한 음식을 추구하는 것이고 우리나라로 말하면 전통음식에 해당한다. 바로 우리가 먹고 있는 한식이 바로 슬로푸드인 셈이다. 외침만 없었을 뿐 우리는 이미 슬로푸드 운동을 하고 있었다. 우리가 즐겨 먹는 된장 또는 김치 등은 숙성과 발효라는 자연의 시간을 빠르게 돌아가는 산업의 시간과 바꾼 느림의 미학味學이다.

그렇다 보니 한식이 우수하다는 것은 과학적으로 입증되었다. 최근 농촌진흥청이 미국의 연구팀과 공동으로 조사한 바로는 한식을 먹었을 때 생활습관병의 주요 위험인자인 콜레스

테롤 수치를 낮추고 혈당 수치 또한 낮춘다는 것을 규명해 냈다. 한식을 사랑하고 소비하는 것이 농촌인구 고령화, 농업인구 감소 등으로 어려움을 겪고 있는 우리 농업과 농촌을 살리는 길이며, 푸드 마일리지를 줄여 자연환경을 보전하고 농사의 대가를 농업인들에게 정당하게 돌려주는 윤리적이고 착한 소비인 셈이다.

빠른Fast의 뜻과 느린Slow의 뜻이 결합해 만들어진 신조어로 패슬로 비즈니스Faslow Business라는 용어가 있다. 사업적인 측면에서 새로운 트랜드를 의미하는 용어로 바쁘게 돌아가는 일상 속에서 느림을 지향하는 사업들이다. 슬로시티가 이에 해당하는데 달리 보면 농업이 패슬로 비즈니스이다.

슬로푸드 운동의 창시자인 카를로 페트리니는 "이상향을 심는 사람은 현실을 수확할 것이다I believe that he who sows utopia will reap reality."라고 했다. 슬로푸드를 통해 지역경제를 활성화하고 건강과 환경을 보전하는 것이 농업과 농촌을 살리고 건강한 대한민국을 만드는 길이라 생각한다.

농업인의 또 하나의 직업, 화가 그리고 소믈리에

가을이 오면 산과 들은 단풍과 황금빛으로 변한다. 물, 햇빛, 바람 등 자연의 조화다. 들녘의 모습은 자연히 만들어지지 않는다. 이른 봄부터 씨 뿌리고 가꾸는 부지런한 농업인이 있어야 가능하다. 봄부터 지역별로 토지라는 캔버스 위에 각자의 솜씨, 각자의 생각, 각자의 전공 분야별로 조각 그림을 그리기 시작한다. 가끔 태풍 같은 자연재해가 그림을 망쳐놓기도 하지만 어느덧 가을이 되면 이 땅의 모든 농업인이 참여해서 만든 조각들이 하나의 작품으로 탄생한다. 다음 해 작품을 위해 다시 조각을 지우기 시작한다. 바로 가을걷이다.

한편 약식동원藥食同源, 음식이 곧 약이라는 말이 있다. 질병의 예방과 치료 등 먹으면 약이 될 수 있는 음식을 약선藥膳 음식이라 하고 색깔 별로 다른 효능이 있다는 컬러푸드 영양소가 풍부하고 건강에 좋은 식품을 뜻하는 슈퍼푸드 등 지금도 음식을 약으로 인식하고 있다. 서양 속담에 '하루에 사과 하나면 의사도 멀리 한다'는 말과 '토마토가 빨갛게 익어갈 때면 의사의 얼굴은 파랗게 변해 간다'는 말은 음식이 곧 약이라는 뜻이니 동서양의 음식에 대한 인식은 같다. 최근 다양한 채소의 종류와 그에 맞는 조리법 등을 소개하는 '채소 소믈리에' 분들이 늘고 있다. 와인 선택에 도움을 주는 소믈리에처럼 몸에 좋은 채소를 선택하도록 돕는다. 농업인들은 먹으면 약이 되는 다양한 종류의 채소를 생산해서 공급한다. 이를 통해 소비자들이 원하는 식재료를 선택하여 음식이 곧 약이 되도록 도움을 준다. 그래서 이 땅의 모든 농업인은 풍경화가이자 소믈리에다.

앞으로도 지역농업이 활성화되어 모두가 건강해지고 상생하는 길이 되었으면 한다. 우리 농업과 농촌을 살리는 길은 식재료의 품격이 높아지고, 더불어 행복해지는 일일 것이다. 한류 열풍으로 인해 우리나라는 다문화 사회가 되었다. 외국인들이 처음 맛보는 한국의 전통음식은 맛도 좋고, 소화도 잘되어 꾸준한 인기를 끌고 있다. 가장 개인적인 것이 창의적인 것이다. 가장 개인적인 것이 세계적인 것이다. 앞으로 한국음식의 퓨전 세계화와 건강한 밥상으로 국민 모두가 '음식시민'이 되었으면 한다.

슬로푸드 운동은
지속 가능한 땅에서 생산된
깨끗하고 생산자가 정당한 대가를 받는
공정한 음식을 추구하는 것이고
우리나라로 말하면
전통음식에 해당한다.

바로 우리가 먹고 있는 한식이
바로 슬로푸드인 셈이다.

30

내 인생에
가을이 오면

　요즘 시대를 100세 시대라고 한다. UN은 65세까지를 청춘으로 분류했고, 최근 우리 사회에서는 50세를 넘어 새로운 인생을 살자는 뜻으로 50 플러스 세대라는 말도 쓴다. 50세 이상 64세까지를 일컫는 말이지만, 나는 50 플러스는 인생 전반 50년에 이어 덤으로 주어지는 것이고, 걸어온 길을 다시 돌아 뛰는 마라톤의 반환점이라는 뜻으로 여긴다.

　인생은 반환점이 있는 마라톤이다. 인생 절반 동안 어떤 일을 벌였다면, 나머지 절반은 수습하고 뿌린 것을 거두어들이는 기간이다. 어쩌면 삶의 끝은 죽음이 아니라 태어나기 이전의 자연상태로 돌아가는 것인지도 모른다. 재물, 권력, 사업 성공 등 목표를 세속적인 것에 두는 것은 유한한 생명을 가지고 태어난 생물이 가질 수 있는 고매한 목표가 될 수 없다. 한 번뿐인 삶에서 인생 후반부터는 자신이 걸어온 발자취를 거꾸로 숙고하면서 살아가는 삶이 진정한 삶이지 않을까.

가을, 진정한 삶에 대해 생각하는 시간

인생은 사계절과 닮았다. 피고 지는 것이 인생과 같지만 한 번 지나간 인생은 다시 돌아오지 않는다. 그래서 인생의 반환점을 스스로 설정하고 진정한 삶이 뭔지 되돌아보는 시간을 가져야 한다. 올가을이 자신을 찾아 떠나는 여행이었으면 한다.

가을은 거짓말을 하지 않는다. 가을은 봄과 여름의 궤적軌跡이기 때문이다. 봄볕에는 며느리를 내보내고, 가을볕에 딸을 내보낸다고 했던가, 몸서리칠 차가운 겨울날에 대비해 뜨거운 여름의 끝을 온몸에 담아 두고 싶다.

프랑스 철학자 중 폴 사르트르는 "인생은 BCD다."라고 했다. 태어나 Birth 죽기Death까지 끊임없는 선택Choice의 연속에 놓여 산다는 의미다. 이런 선택의 결과가 인생의 가을에 맺히는 것이다. 삶도 가을의 결실처럼 앞선 과정과 노력의 궤적이다. 결정은 언제나 외롭다. 후회하는 자만이 자신의 그림자를 본다고 하지만 후회하면서 뒤돌아보는 일이 적지 않다. 주위에서 조언은 해줄지언정 최종 선택은 혼자의 몫이다.

손남태 시인의 말처럼 누구에게나 고독은 외로움이라는 이름으로 우리 주위를 맴돈다. 혼자일 수밖에 없는 외로움으로 늘 쓸쓸하다. 얼마 지나지 않으면 내 나이도 지천명知天命이다. 나이 숫자만 늘어나고 몸만 커진 아이처럼 늘 후회할 행동을 자주하게 된다.

나는 내 인생에 가을이 오면 무엇을 위해 달려왔고, 어떤 의미를 찾아 살아왔는지 묻고 싶다. 얼굴은 하나의 풍경이며, 한 권의 책이자 공적功籍이라는 말처럼 삶의 흔적을 얼굴에 담으려 노력했는지도 물어보고 싶다. 인생의 겨울에는 공적처럼 쌓인 지난날을 추억하며 입가에 웃음 짓는 따뜻한 날로 맞고 싶다. 입추도 지났고, 곧 가을이 무르익는다. 이 가을은 또다시 오지만 지금 이 순간은 다시 오지 않는다. 의미 있는 삶을 살겠다고 다짐했다.

무감어수 감어인無鑑於水 鑑於人이라는 말처럼 얼굴을 물에 비춰보지 않고, 사람에 비춰 누가 되지 않고, 헛되지 않는 삶을 살았다는 말을 주변 사람들로부터 듣고 싶다. 가을은 남자의 계절인가 보다. 왠지 멜랑콜리melancholy 해지고 생각이 많아진다.

봄은 여성의 계절, 가을은 남성의 계절이라 한다. 하지만 모 방송국 연구소에서 실시한 설문조사 결과, 여성이 남성보다 가을을 더 타는 것으로 조사된 바 있다. 계절을 탄다는 말은 계절을 느낀다는 말로 바꿔도 되니 누가 감성적인가를 알아보면 된다.

의학적으로는 우리가 느끼는 감성은 일정 부분 일조량의 영향을 받기 때문에 감성적으로 더 민감한 여성이 가을을 더 탄다고 한다. 심리적 안정을 유도하고 행복한 감정과 관련된 세로토닌serotonin은 가을이 되어 햇빛의 양이 줄면서 우울한 감정을 느끼게 된다는 것이다. 따라서 여성이 감정이입 정도가 더 크기 때문에 계절에 더 민감하다고 할 수 있다. 어쩌면 여성은 사계절을 탄다는 말이 맞는 것도 같다.

행복한 가을이 되기 위한 몇 가지를 제안하고자 한다. 먼저 행복한 감정을 만들러 여행을 떠나보는 것이다. 여행에서 느끼는 행복한 감정은 돈으로 살 수 없다. 물질에서 얻는 행복은 일시적이지만 경험을 통해 만들어진 행복은 오래간다. 가을이 가기 전에 여행 일정을 짜면서 행복을 오랫동안 느껴보는 것도 좋을 듯싶다.

둘째, 글이나 시를 써보자. 책은 읽지만, 자신의 글을 쓰는 사람은 많지 않다. 이번에는 나만의 감정, 나만의 느낌으로 글 속에 가을을 담아보자. 살아가면서 감정은 변한다. 사진으로 현재의 모습을 담듯이 글이나 시로 나의 감정을 담는다면 이번 가을은 행복한 계절로 추억될 것이다.

셋째, 남을 위해 돈을 써보자. 사람은 다른 사람을 돌보고 자기 자신을 희생하면서까지 다른 사람을 돕는 성정이 있다. 얼마나 행복한가는 돈의 차이가 아니라 무엇을 위해 돈을 소비했느냐가 더 크게 영향을 미친다고 한다. 받는 것보다 주면서 느껴지는 행복이 얼마나 큰지를 느끼는 가을이었으면 한다. 줄 수 있어서 행복하고, 나눔은 부족함 속에서 느낄 수 있는 풍요가 아닐까?

채우는 것만큼 비우는 것도 중요하다는 말처럼 이제는 다른 것들을 채우기 위해서 예전의 것을 비우고 떠나보내야겠다는 생각도 든다. '인생은 원인의 철학도, 결과의 철학도 아니다. 경과의 철학이다.'라는 어느 철학자의 말처럼 살아가는 과정에서 과거의 인연을 조금씩 떠나 보내야겠다. 산다는 것은 익숙한 것과의 결별이니까.

나무를 심는다는 것

누구나 식목일에 대한 기억이 있을 것이다. 요즘은 지자체에서 나무를 무상으로 나눠주기도 하고, 도심 농원에서 저렴하게 구할 수 있으니 약간의 수고와 마음만 있으면 나무를 심는 것이 그다지 어렵지 않다. 나무를 심는다는 것은 추억을 심는 것과 같다. 당시 경제적으로는 녹록지는 않았지만, 추억은 부자였던 것 같다. 나의 10가지 원칙 중 하나가 매년 나무를 심는 것이다.

심을 나무는 의미를 생각하며 고른다. 아이들과 함께 꼭 유실수를 고른다. 심어진 나무를 가지치기할 때면 마음은 항상 자식을 키우는 듯하다. 아이들과 나무를 심을 때면 나무에 아이들의 이름을 적은 이름표를 붙여주고, 작은 명명식을 개최한다. 심은 나무와 나란히 사진을 찍는 정도지만 그 의미는 남다르다.

시간이 흘러 내가 이 세상을 떠나더라도 엄마, 아빠를 추억하며 찾아갈 장소가 되기 때문이다. 산다는 것은 의미를 남기는 과정이고, 나이를 먹는다는 것은 자기를 하나씩 정리해 가는 과정이라 생각한다. 나무 심기를 통해 의미를 남기며, 나의 마음을 하나씩 나무에게 나누어 준다. 한두 그루 심은 나무가 어느새 오십여 그루에 이르고 열매가 달릴 때면 가족들과 함께 찾아가는 장소가 되었다.

아이들과 함께 나무를 심는 또 다른 이유는 그리움을 심기 위해서다. 산수유 꽃이 노랗게 필 때면 많은 사람들이 김종길 시인의 「성탄제」라는 시를 생각한다. "산수유 꽃이 필 때면 아버지가 눈을 헤치고 따오신 그 붉은 산수유 열매, 어느새 나도 그때의 아버지만큼 나이를 먹었다. 불현듯 아버지의 서느런 옷자락을 느끼는 것은 눈 속에 따오신 산수유 붉은 알알이 아직도 내 혈액 속에 녹아 흐르는 까닭일까." 라며 앓던 자식에 대한 아버지의 사랑을 애틋하고 살갑게 노래한 것을 생각하면서 아이들도 나에 대한 그리움을 열매로 달래지 않을까 생각해본다.

올해는 부모님이 나무를 고르시도록 했다. 고르신 모과나무는 부모님의 사랑이 열매로 맺힐 것이다. 이다음 부모님의 존재가 세상에서 지워졌을 때 그리움의 기억만은 열매로 익을 듯싶다. 아동 문학가 쉘 실버스타인Shel Silverstein의 『아낌없이 주는 나무』에서 나무는 소년의 놀이터, 그네가 되어주고, 열매를 기꺼이 내어주며 배를 만들도록 몸뚱이마저 내어주었다. 노인이 되었을 때 남은 밑둥마저 쉴 공간으로 허락했다.

그리움을 심으며

인생의 가치와 의미를 생각하면서 비록 자식이 부모의 마음을 아프게 하는 경우가 많더라도 자식에 대한 사랑은 헌신적이어야 한다는 생각을 많이 했다. 물질을 남겨주기보다는 추억과 그리움을 남겨주려고 매년 나무를 심는다. 부모님의 그리움을 오래 간직하고 싶고, 자식에 대한 나의 그리움을 전하고 싶기 때문이다.

목적이
이끄는삶

"중요한 것은 목표를 이루는 것이 아니라,
그 과정에서 무엇을 배우며 얼마나 성장하느냐이다."

앤드류 매튜스

7장

일상을
살아가는
인간

31

불안과
우울의 인간

　　코로나19의 장기화로 무기력에 빠지고 불안이나 우울감을 호소하는 사람들이 늘고 있다. 일명 '코로나 블루' 때문이다. 젊은 층은 비대면 방식으로도 소통하는 방법이 많지만, 상대적으로 노인들은 경로당 폐쇄 등 스트레스를 해소하는 방법이 제한되어 있어 더 많은 배려가 필요하다.

　알고 보면 불안이나 우울감은 인간의 고유한 감정이다. 진화심리학 입장에서 분명 긍정적인 요소가 있다. 또 자연선택이라는 관점에서는 이러한 감정은 생존하는데 많은 이점을 제공했고, 불안은 현실에 안주하지 않도록 하는 능동적 역할과 몸을 보호하는 기능을 했다. 이처럼 불안이나 우울한 감정은 본능적인 것으로 제거 대상이 아니라 승화시키고, 제어해야 하는 대상이다.

인간생존의 힘: 사회화

인간은 다른 동물과 비교해서 사고하는 능력 외에 특별한 생존 무기가 없기 때문에 사회화를 택했다. 이러한 사회화를 통해 생존 능력을 키웠고, 사회 구성원의 하나로 안전이라는 보상을 받아왔다. 세상은 코로나 이전과 이후로 나뉜다고 한다. 이전에는 공동으로 힘을 합치는 것이 생존의 필요한 요소였지만, 지금은 사회적 거리 두기로 흩어져야 생존에 유리한 상황이 전개되고 있다. 생존에 유리했던 것이 불리해진 상황으로 진화 과정의 역행이다. 뭉치거나, 합쳐야 산다는 전통적인 수렴적 사고에서, 거리를 둬야 한다는 새로운 사고, 즉 확산적 사고로 전환이 심리적인 불안을 초래하고 있는 것이다. 인지부조화와 분리불안이 야기되고 있다.

뇌 과학 관점에서 이성적인 판단은 전두엽에서, 감정은 대뇌변연계에 있는 편도체가 담당한다. 그동안 전두엽을 통해 이성적인 판단을 내리는 좌뇌 중심의 사회였다면, 코로나 바이러스라는 보이지 않는 존재가 인간을 죽음으로 몰고 갈 수 있다는 공포는 사람들을 파충류 뇌라는 변연계에 더 의존하게 만들고 있다.

이러한 상황에서 먼저 코로나 블루를 제어하기 위해서는 소외감 해소가 필요하다. 대인관계가 약한 사람은 하루에 담배를 15개비 피는 것과 같다는 말이 있다. 소외감은 대인관계와 관련 있다. 소외감을 느끼면 전대상피질의 위쪽 부분이 활성화되는데, 신체적인 고통을 겪을 때 활성화되는 부분과 일치한다. 그래서 소외감은 정신적인 고통은 물론 육체적 고통을 주기도 한다. 따라서 주위 사람들에게 칭찬과 격려, 지지하는 자세가 필요하다. 사회적 지지는 스트레스의 완충제 역할을 하기 때문이다.

둘째, 시기나 질투하는 마음, 충동적인 마음을 억제해야 한다. 이러한 심리적 기제는 생존을 높인 본능적인 감정 중 하나다. 시기와 질투는 오히려 불안감, 회의감을 증폭시키고, 특별한 이유 없이 걱정이 엄습하는 부동성 불안을 초래한다. 스트레스 상황에서는 코르티솔이라는 분노의 호르몬이 생성되는데, 이 호르몬의 지속시간은 90초 정도. 억제하면 곧 사라진다.

셋째, 스트레스는 인지적인 노력으로 해소할 필요가 있다. 감정에 라벨 붙이기와 인지적 재해석 기법이 있다. 인지 위의 인지라는 메타인지metacognition를 활용하는 것으로 전자는 성질이 나면 '화가 났구나', 떨릴 때는 '두려움을 느끼는구나'라고 감정에 꼬리표를 붙이는 것이다. 후자는 좋지 않은 일이라도 '그래 경험이 되겠구나' 등 반응을 긍정적으로 하면 변연계 활동이 줄어 심리적인 안정을 가져올 수 있다.

앞서 말한 바와 같이 불안과 우울한 감정은 제거할 수 없고 삶이 있는 한 지속된다. 이러한 부정적인 감정이 생기는 주요 원인으로 사랑의 결핍을 꼽는다. 우울하다고 불안하다고 자기혐오나 비하는 금물이다. 주위에 격려와 자존감을 높여주는 칭찬을 많이 하고, 감사하는 마음가짐이 필요하다.

32

왜냐하면
심리학

　　하버드대학교 심리학과 엘렌 랭어 교수는 "왜냐하면"이라는 이유를 포함한 질문이 어떤 위력을 발휘하는지 실험했다. 대학교 캠퍼스에서 복사기 앞에 긴 줄로 서 있는 사람들 사이에 끼어드는 실험이었다. 실험 참가자들은 세 가지 유형의 질문으로 끼어들기를 하도록 요청받았다. 어떤 질문 형태가 사람들로 하여금 더 많은 끼어들기, 즉 먼저 복사하도록 양보하는지 알아보기 위해서였다.

　　첫 번째 질문은 "죄송합니다. 복사할 게 5페이지입니다. 먼저 복사해도 될까요?"였고, 두 번째 질문은 "죄송합니다. 복사할 게 5페이지입니다. 복사하려는데 먼저 해도 될까요?"였다. 그리고 세 번째 질문은 "죄송합니다. 복사할 게 5페이지입니다. 급해서 그러는데 먼저 복사해도 될까요?"였다. 세 질문의 차이점은 '복사하려는데', '급해서 그러는데'와 같은 구차한 이유가 추가됐을 뿐이다.

실험 결과 첫 번째 질문에는 60%의 사람들이 끼어들기를 허용했다. 두 번째 질문에는 93%, 마지막 질문처럼 바쁘다는 단순한 이유를 말했음에도 94%의 사람들이 허용했다. 왜냐하면 이유가 들어간 말에는 일반적으로는 자동적 사고가 일어난다는 결론을 내리고, 이것을 왜냐하면 효과Because Effect라 했다.

첫 실험 이후 5장이 아니라 20장의 복사를 부탁하면서 끼어드는 실험을 진행했다. 약간 부탁의 강도를 높인 것이다. 실험 결과 '바쁘니까'라는 이유가 들어간 질문에만 끼어들기 효과가 있었다. 일반적으로 작은 부담이나 작은 위험이 포함된 부탁에는 자동적 사고를 하지만 큰 부담이나 큰 위험이 내포된

면접에서 이기는 기술은 면접이란 면접관과 면접자가 서로 면접하는 것임을 잊지 않는 것이다.

경우에는 저항을 불러일으킬 수 있다는 결과를 얻었다.

우리는 시간이나 정보가 충분하지 않은 상황에서 판단이 필요할 때는 이것저것 따지지 않고 단순화하고 어림짐작으로 의사를 결정한다. 이로 인해 예기치 못한 갈등이 생길 수 있다. 명확하게 소통하지 않으면 어림짐작만으로 상대방의 의도를 충분하게 파악할 수가 없기 때문이다. 이를 휴리스틱Heuristic이라고 한다. 위와 같은 실험을 통해 대화의 경우 단순한 이유라도 가미해서 설명의 설득력을 높이고 부탁을 이끌 가능성을 높인다는 것을 알 수 있다. 민원이 제기되는 상황에서는 이유를 함께 설명할 필요가 있다.

면접도 심리전이다

펜실베이니아 대학 와튼 스쿨 유리 사이몬슨 교수와 노스캐롤라이나 대학 프란체스카 지노 교수는 2000년부터 10년간 MBA를 지원한 9,323명의 면접 점수를 조사했다. 면접관은 하루 평균 4.5명의 면접을 담당했고, 평균 인원수 4명을 넘어서는 순번, 즉 5번 면접자부터는 면접 점수가 점점 낮아졌다는 것을 발견했다. 의사 결정할 것이 많을 때 고려할 수 있는 범위를 좁히는 현상, 브래키팅Narrow Bracketing이다. 그러면서 이와 유사한 편향 현상은 수십 건을 처리하는 재판 과정에서도 일어날 수 있다고 했다. 이 현상을 통해 사람의 정신력이나 인내

력은 배터리처럼 시간의 흐름에 따라 고갈된다는 것을 염두에
둬야 한다.

한편 리처드 와이즈먼의 『59초』라는 제목의 책에는 면접과
관련된 흥미로운 내용이 나온다. 통상 면접관들은 응시자의
호감 여부에 따라 평가하고 업무 능력을 보기보다는 면접관과
일치하는 가치관을 가진 면접자에게 높은 점수를 주는 경향이
있다는 것이다. 심리학자인 프리야 라쿠비르Priya Raghubir와 아
나 발렌수엘라Ana Valenzuela에 따르면 투표로 결선을 정하는 퀴
즈 쇼에서 중앙에 앉은 도전자의 결선 진출은 42%로, 바깥쪽
에 앉은 도전자(17%)보다 더 높았다. 함께 찍은 사진 속에서
누구를 뽑을 것인지 물었을 때도 중앙에 있는 사람의 비율이
훨씬 높았다. 이를 '무대 중앙 효과'라 한다.

면접도 심리전이다. 면접자는 외모를 반듯하게 하거나 실력
을 쌓는 것 못지않게 면접관의 심리를 파악해야 한다. 면접관
입장에서는 '워렌 하딩의 오류Warren Harding Error'를 유념해야 한
다. 겉모습이 출중하고 언변이 뛰어나서 미국 대통령이 되었
지만 개인 비리와 무능 등으로 국민의 신뢰를 잃은 제29대 미
국 대통령, 워렌 하딩에서 온 개념이다. 면접은 상호작용이다.
면접이 심리 싸움이 아니라 진실과의 싸움이 되길 바라본다.
진실된 모습은 마음으로 보아야 알 수 있다는 말처럼 면접은
진실이 드러나는 순간이길 바란다.

끌어당김의 심리전

호주의 TV PD이자 방송 작가인 론다 번의 책『시크릿』이 우리나라뿐만 아니라 전 세계적으로 열풍을 일으킨 적이 있다. 간절히 바라면 이루어진다는 끌어당김의 법칙law of attraction이다.

기업 전문 컨설턴트인 존 맥스웰John Maxwell은 "우리 중의 약 95%의 사람은 자신의 인생 목표를 한 번도 글로 기록한 적이 없으며, 글로 기록한 적 있는 5%의 사람들 중 95%가 자신의 목표를 성취했다."고 말한 것처럼 기록하고 영상화하면 목표를 이룰 수 있는 가능성을 높여준다고 믿는 경우가 많기 때문이다.

1953년 예일대 졸업생을 대상으로 인생 목표에 대한 설문을 조사했다. 그 결과 명확하고 구체적인 목표를 써낸 학생은 고작 3%였다. 22년이 지난 1975년, 설문에 응한 학생들의 재정적인 수준을 조사했더니 목표를 구체적으로 글로 썼던 3%의 학생들은 나머지 97%의 졸업생들 전체를 합친 것보다 더 많은 부를 이루고 있었다.

13%는 목표가 없었던 84%의 졸업생들보다 평균 2배 수입이 높았다. 구체적인 목표를 설정하고 이를 기록해두었던 3%는 나머지 97%보다 무려 10배의 수입을 올리고 있었다. 왜 이런 일이 가능한 걸까? 아인슈타인이 발견한 진리 중에 하나는 모든 것은 에너지라는 것이다.

물리적인 세상에 존재하는 모든 것은 원자로 만들어졌고, 원자는 에너지로 만들어졌으며, 그리고 에너지는 의식으로 만들어졌다는 것. 이 에너지 다발이 서로에게 영향을 주고받는 어떤 능력을 얽힘entanglement라고 하는데, 이처럼 간절히 바라는 의식이 에너지가 되어 뭔가에 영향을 준다는 것이다. 인간에게는 망상 활성화 체계Reticular Activating System라는 게 있다. RAS는 뇌의 기저에 있는 척수와 소뇌 및 대뇌와 연결되어 있는 신경망 경로를 가리키는 용어인데 이것은 뇌가 외부 세계에서 받아들이는 모든 감각적인 입력 내용들을 거르는 여과 장치 역할을 한다.

망상은 작은 그물 구조를 말하는 것으로 우리가 목표로 하고 기록을 하면 우리 뇌는 그것이 중요한 것이라고 인식하고 외부의 수많은 정보 중에서 목표한 것과 기록한 것과 관련된 정보를 걸러서 뇌에서 정보를 처리한다. 의식적인 뇌는 1초에 약 2000비트의 정보를 처리하는 반면, 무의식적인 뇌는 1초에 약 4000억 비트의 정보를 처리한다는 것을 감안하면 무의식적으로 처리되는 정보의 중요성을 알 수 있다.

인간에게는 독특한 시스템이 있다. 사이코-사이버네틱스 Psycho-Cybernetics 메커니즘이다. 일종의 정신적인 자동유도장치다. 배가 항로를 벗어나지 않도록 하는 일종의 자동 항법 장치인데, 인간의 뇌는 미사일의 자동 유도장치와 같아서, 자신이 목표를 정하면, 그 목표를 향해 자동으로 유도해 나간다. 따라서 자신의 잠재의식에 원하는 목표를 입력해 놓으면 그에 맞게 자동유도 된다고 그는 주장한다.

인간의 잠재의식은 농담과 진담을 구별하지 못하고, 상상적 결과와 실제 결과를 구별하지 못한다. 따라서 원하는 것을 계속 주입하면, 실제로 그렇게 알고 행동하게 된다. 앞서 말한 근거로 인해 자기 확신과 구체적인 목표설정 그리고 영상화와 명상 등은 실제로 훌륭한 결과를 낳는 경우가 많다.

끌어당김의 법칙처럼 생각이 에너지가 되고 간절히 바라면 공명을 통해 전달되고 확고한 믿음이 목표 달성에 도움을 준다. 목표를 설정하는 것은 의식적인 영역에서 이루어지지만, 목표에 도달하는 것은 무의식적인 영역에서 이뤄지기 때문에 의식과 행동을 대부분 지배하는 무의식이 성공확률을 높이는 것이다. 긍정적인 뉘앙스와 분위기가 만드는 기운은 엄청나다. 같은 말이어도 어떤 심리전을 사용하느냐에 따라 우리는 생각지도 못한 결과를 얻을 수 있다. 간절히 바라면 그것은 확고한 신념이 되고 간절히 바라면 현실이 된다.

`

33

습관이 바뀌면
운명도 바뀐다

　　일을 성취하기 위해서는 어떤 자격이 필요할까? 지속적인 성취를 이루기 위해 어떤 노력을 기울여야 하고 준비되어야 하는지를 자세히 정리해보고자 한다. 노력하려면 어떻게 해야 하는지 어떤 마인드 컨트롤이 필요한지를 생각해 보는 것이 중요하다. 가장 중요한 건 나 자신의 업무 스타일과 성향을 생각해봐야한다. 조언을 들었다고 해서 그 조언이 내게 해당되는 것은 아닐 수도 있기 때문에 그렇다. 결국 나 자신을 제대로 아는 것만이 모든 문제를 푸는 열쇠가 되는 것이라 생각한다. 오랜 시간 갖고 있던 편협한 생각을 벗어던지는 것이야말로 새로운 길을 열어가는 시작점이 될 것이다. 습관을 버리기는 어렵고, 길들이기는 어렵다. 그러나 습관을 바꾸면 인생은 확실히 달라진다.

기억과 망각

피트 닥터Pete Docter 감독의 애니메이션 영화 〈인사이드 아웃 Inside Out〉을 아들, 딸과 함께 봤다. 이 영화는 11살 라일리라는 소녀의 머릿속의 다섯 가지 감정, 즉 기쁨, 슬픔, 버럭, 까칠, 소심이 작용해 행동으로 표출되는지와 부모가 아이들에게 대하는 모습도 내면에서 어느 감정이 우위를 갖느냐에 따라 달라진다는 것을 재미있게 그렸다. 감정과 기억이 어떻게 만들어지는지와 삶을 풍요롭게 하는 것은 기쁨뿐만 아니라 슬픔도 적절한 조화를 이뤄야 한다는 것을 보여주는 일종의 심리학적인 요소를 갖추고 있다. 특히 우리가 평소 느끼는 감정은 감정 본부에 구슬로 저장되고 필요 없는 기억들은 쓰레기 더미 속으로 버려지는 것을 보면서 망각이 이렇게 뇌에서 사라질 수도 있겠다는 생각을 해 보았다.

옆에 있던 딸이 우는 모습을 보면서 에스트로겐Estrogen 호르몬이 온몸을 적시며 사춘기의 반항이 시작될 때 그 분노는 내면에서 일어나는 감정을 조절하는 싸움이니 참고가 되었으면 하는 바람이 있었다. 개인적으로는 일상적인 분노나 까칠함도 내면의 감정의 싸움이니 좋은 감정이 우위를 점하도록 자기 절제에도 많은 노력을 해야겠다고 다짐했다.

한편 영화는 기억과 망각에 대한 메커니즘을 재미있게 그렸지만, 우리의 뇌는 영화처럼 단순하지 않다. 기억은 아주 짧은 기간 동안 기억되는 '감각기억'과 정보처리가 이루어지는 동안 유입된 정보가 일시적으로 저장되는 '단기기억' 그리고 단기기억에서 영구히 저장되는 '장기기억'으로 구성된다. 단기기억에 저장되고 이것이 장기기억으로 보존되려면 지속적이고 반복적인 리허설rehearsal이 필요하다. 한마디로 머릿속에 정보를 계속 떠올리거나 유입된 정보의 의미를 마음속 깊이 생각하고 의미를 부여하는 과정을 거쳐야 장기기억으로 보관된다. 이렇게 저장된 기억도 자극과 반응의 연결이 잘되지 않으면 기억이 인출되지 않는다. 즉 망각이 시작된다. 이런 망각은 기억이 쇠퇴해 생각이 잘 나지 않는다는 '쇠퇴이론'과 새로운 정보가 기존의 기억을 방해한다는 '방해이론'으로 나뉜다. 과거 정보가 최근의 정보에 대한 기억을 나지 않게 할 수도 있고, 과거의 정보가 최근 정보의 인출을 방해하기도 한다. 이처럼 기억과 망각은 영화처럼 단순하지 않다.

독일의 심리학자인 헤르만 에빙하우스Hermann Ebbinghaus는 인간의 기억에 대한 실험을 통해 학습 후 10분부터 망각이 시작되고 하루만 지나도 70% 정도 망각한다고 했다. 영화에서처럼 많은 기억이 쓰레기 더미로 버려지지 않는 방법은 머릿속의 기억을 자주 꺼내 써야 기억 간 연결고리가 강화되고, 단어보다는 그림으로 많이 뇌에 저장하려 노력하여야 한다. 인지심리학자인 로저 생크Roger Schank가 "이야기는 지식 축적의 핵심이며, 중요한 정보는 이야기 형태로 저장된다."고 하였듯이 이야기나 사건으로 저장해두면 오랫동안 기억할 수 있다.

3부 목적이 이끄는 삶

노력도 습관이다

'모든 위대한 사람들의 하인, 모든 실패한 사람들의 주인'. 그리고 '처음에는 거미줄 같다가 나중에는 쇠줄처럼 된다'는 스페인 속담은 '습관'에 관한 것이다.

습관을 만드는 데에는 환경이 중요한 요소로 작용하기도 한다. 극한 상황이나 심리적으로 위축된 상황에서는 이러한 어려움을 극복하고, 돌파구를 찾는 과정이 습관으로 유도되기도 한다. 경제적으로 어려운 경우 남들보다 일찍 일어나고 더 많은 시간을 노력하다 보니 부지런함이 습관이 된 경우라 할 수 있다. 한편 형제나 자매 중 성공 비율을 보면 먹을 기회가 많고, 사랑을 더 많이 받는 첫째보다는 둘째 이하에서 사회적으로 성공하는 사례가 많다고 한다. 현실을 극복하려는 노력과 경쟁에서 이기려고 하는 동기와 의식이 노력으로 이어지면서 성공할 확률을 높이는 것이다.

미국 피아니스트 블라디미르 호로비츠 Vladimir Horowitz는 "하루 연습을 안 하면 자신이 알고, 이틀 연습을 안하면 아내가 알고, 사흘 연습을 하지 않으면 온 세상이 안다."고 했다. 노력도 습관인 셈이다. 습관이 되지 않는 것은 불능不能의 문제가 아니라 불위不爲의 문제인 것이다.

최근 들어서 두뇌에 대한 연구가 활발해지면서 뇌에 관한 메커니즘이 많이 밝혀지고 있다. 뇌와 관련하여 '신경가소성 nero plasticity'이라는 용어가 있다. 뇌의 신경회로가 자극, 경험,

학습에 의해 기능적으로 변화하고 재조직화되는 현상을 뜻한다. 노력을 습관화하고 의식화하면 노력하는 삶을 살도록 우리 뇌 구조가 바뀌는 것이다. 작심삼일이라는 말이 있다. 이러한 작심삼일도 21일간 계속하면 뇌가 저항감을 느끼지 못하고 습관이 든 것처럼 받아들인다고 한다. 일명 '21일의 법칙'이다. 제인 워들Jane Wardle 영국 런던대학교 교수팀은 연구에 따르면 완전한 습관 형성에는 66일이 소요된다고 했다. 같은 행동도 계속 반복하다 보면 자동적으로 습관이 된다는 것을 증명하기 위한 실험이었다.

이처럼 습관은 노력으로 만들어진다. 할 수 없음을 탓할 것이 아니라 할 수 없다는 패배 근성이 몸에 밴 것은 아닌지 스스로를 돌아볼 필요가 있다. 자신을 믿고, 긍정적으로 생각하면서 습관이 몸에 밸 때까지 노력해 보자. 오래된 귀차니즘이 새로운 습관을 들이는데 장애물로 작용하는지도 성찰해봐야 한다.

자기 통제력이 필요한 이유

사회적 행동과 문화적 행동의 관계에서 그 행동을 결정하는 요인이 무엇인지를 예측하는 심리 이론이 '계획된 행동이론The Theory of Planned Behavior'이다. 행동은 옳고 그름 등에 대한 '개인적 신념', 주변 사람들이 그 행동을 용인할만한지에 대한 기준인

'주관적 규범' 지각하기에 통제 가능하다고 인지하는 '지각된 행동 통제감'에 따라 유발된다고 보고 있다.

심리학 교수 이안 로버트슨Ian Robertson이 쓴 『승자의 뇌』를 보면 통제력에 관한 흥미로운 내용이 나온다. 아카데미상 후보에만 오른 사람보다 그 상을 수상한 사람이 왜 더 장수하는지, 같은 일을 하는 비서의 스트레스 정도는 왜 다른지에 관해서다. 전자는 수상 경험이 자기 삶에 대한 통제력을 스스로 갖고 있다는 믿음을 높여주고, 자신감과 효능감을 고양시켜 주기 때문이고, 후자는 같은 비서라도 해당 업무를 거부할 수 있느냐 아니냐 즉 통제 가능한 위치냐 아니냐의 차이 때문이었다.

이러한 통제감은 스트레스를 해독하는 역할을 하고 스트레스에 쉽게 노출되지 않는 효과를 발휘했다. 통제력에 대한 느낌, 즉 통제감이 낮을 때는 육체적으로나 정신적으로 건강에 나쁜 영향을 미친다. 통제감은 효능감과 관련돼 있으며, 긍정심리학자인 마틴 셀리그만은 통제감이 높을 때는 낙관성, 낮을 경우 무기력과 연관 있다고 봤다. 이런 통제감은 건강과도 관련 있다. 1976년 미국 심리학자인 엘렌 랭어Ellen Langer와 주니스 로딘Judith Rodin은 요양원 노인들을 대상으로 자기 통제력에 관한 실험을 했다.

한 그룹에는 화초를 스스로 가꾸게 했고, 다른 그룹에서는 요양원 직원들이 가꾸도록 했다. 화초를 직접 기른 노인들은 스스로 할 수 있다는 자신감으로 행복감은 물론 건강도 좋아졌다. 결정권 부여가 결정적인 것이었다. 1999년 심리학자인 헤이트와 로딘Haidt & Rodin의 연구에서 자기 통제권이 부여된 조직은 구성원들의 조직 참여가 적극적임을 밝혀내기도 했다. 이러한 통제력은 생각만으로도 효과를 발휘한다.

통제감은 교육을 많이 받을수록 높아지는데 교육이 통제감을 더 느끼게 하고, 정신적인 지평을 확장해줘서 보다 많은 권력을 가졌다고 느끼게 한 것이라 볼 수 있다. 통제력은 감정이나 욕망을 스스로 억제하는 힘이며, 원하는 미래의 목표를 완성하기 위해 행동하게 하고 인내하는 능력이다. 일을 성취하기 위해서는 지능, 재능과 함께 노력이 필요하다. 이 노력에 필요한 성격적 특성으로 끝까지 완수하려는 끈기와 함께 행동을 유도하고 긍정적인 결과가 나오도록 행동을 변화시키는 내적 동기, 즉 자기 통제력을 필요로 한다. 나 자신을 다스릴 수 있어야만 어떤 일이든 넉넉히 이길 수 있다. 이것은 불변의 진리와도 같다. 통제력은 원하는 미래의 목표를 이루기 위해서라면 현실의 즐거움은 잠시 유보해서라도 인내할 수 있다. 자기를 통제한다는 건 상당하게 치열한 결심과 마인드가 있어야 한다.

34

긍정 정서와
행복

　　최근 후원하는 단체로부터 받은 우편물에는 중학교 2학년 한별희 학생의 '불행복不幸福'이란 시가 들어있었다. 내용은 이렇다. 수업 끝나고 아이들과 PC방 가는 길에 시든 채소를 팔고 있는 할머니를 보게 된다. 그 순간 PC방 가면 본인은 행복하겠지만 그 채소를 사면 할머니가 더 행복하리라 생각한다. 그 돈으로 채소를 사고 행복을 포기하게 된다. 즉 본인의 불행복이 할머니한테는 행복이라 생각하며 스스로를 긍정한다.

　　미국의 심리학자 데버러 대너Deborah Danner는 노트르담 교육 수도회에 소속된 수녀 180명을 대상을 어린 시절과 종교적 경험 등에 대한 짧은 글을 부탁했다. 70년이 지나서 그 글을 분석한 결과 행복, 기쁨 등의 긍정적인 표현을 한 수녀들이 다른 수녀들보다 더 장수한 사실을 발견했다. 긍정적인 단어를 많이 쓴 90%가 85세까지 산 반면 긍정적인 단어를 적게 쓴 10명 가운데 3명 정도만 생존해 있었다. 긍정적인 단어 사용은 장수와도 관련 있음을 알 수 있다. 긍정하는 태도가 즐거움과 관련된 도파민Dopamine, 세로토닌Serotonin 등 행복 호르몬을 분비하고 이러한 호르몬의 영향으로 심장 박동과 혈압이 안정되면서 장수하는 삶을 가능케 한 것이다.

긍정하면 행복해진다

긍정 정서는 행복감을 높인다. 그 형태로는 기쁨, 감사, 희망, 자부심, 낙관성 등이 있다. 이러한 정서는 지능과 달라서 후천적 학습으로 발달시킬 수 있다. 정서란 사건에 대한 생각과 해석에 따라 긍정적일 수도 있고 부정적일 수도 있다. 부정 정서를 줄인다고 긍정 정서가 늘어나는 것이 아니므로 행복을 증진시키려면 비관성을 약화시키고 낙관성을 강화해 긍정 정서를 배양시켜야 한다. 긍정 정서는 우리의 사고와 행동 목록을 확장시켜 마음과 생각의 문을 열어주고, 지속적으로 개인적 자원을 구축해 우리를 보다 나은 모습으로 변화시킨다.

행복의 50%는 유전된다는 연구결과가 있다. 일란성 쌍둥이와 이란성 쌍둥이 900쌍을 대상으로 조사한 결과 50% 정도는 유전자가 행복에 영향을 미치며 40%는 노력, 10%는 환경적 요인에 의해 결정된다고 보았다. 행복을 얻기 위해서는 노력이 필요한데 긍정적인 마인드, 정서적인 기쁨과 인지적 만족이 필요하다. 그러나 우리의 생각은 부정적인 경우가 많다. 그게 생존에 더 유리하기 때문이다.

　미국의 심리학자 셰드 햄스테더shad Halmstetter 박사의 연구에 따르면 인간은 하루에 5만 가지 이상의 생각을 한다. 많은 생각 중에서 75%는 부정적인 것이고, 25% 정도만이 긍정적이라 한다. 긍정의 발견 저자 바버라 프레드릭슨은 긍정과 부정의 비율이 최소 3 대 1 이상은 돼야 한다고 했다. 그가 미국 기업 60개의 회의록을 꼼꼼히 분석한 결과 긍정적인 단어와 부정적인 단어의 비율이 2.9 대 1 이상인 기업은 성장했고 그 이하는 쇠퇴했다.

　우리는 누구나 행복한 삶을 원한다. 행복은 긍정적인 정서를 키움으로써 가능하다. 마틴 셀리그먼은 여러 실험을 통해 무기력도 학습되고 낙관성도 학습된다는 것을 밝혀냈다. 행복해지려면 긍정적인 정서를 갖도록 사고 습관을 바꿔야 한다.

빈 가슴으로 간다

　누가 5월을 계절의 여왕이라 했던가. 5월은 유난히 기념해야 할 날이 많다. 스승의 날, 부부의 날, 어린이날 등 좋은 계절이라 기념할 날이 많나 보다. 그러나 어버이날만큼 의미 있는 날은 없을 것 같다. 1956년에 5월 8일을 어머니의 날로 정하고 1974년부터는 어버이날로 개칭하여 기리고 있다. 자신의 태어난 나라를 어머니의 나라, 즉 모국母國이라고 하고 자연을 만물의 어머니 같다고 하여 대자연을 'Mother Nature'라 부른다. 어머니에 대한 감정과 정서는 동양과 서양이 다르지 않다. 고故 황수관 박사는 모 방송국 강의에서 세상에서 가장 아름다운 단어는 어머니라는 제목의 강의를 통해 많은 사람을 울게 만들었다. 영국문화협회가 세계 102개국, 4만 명을 대상으로 설문한 결과에서 세상에서 가장 아름다운 영어 단어가 'Mother어머니'였다는 내용이다.

5월이 되면 「아버지의 가치」와 「어머니」라는 시를 자주 찾아 읽는다. 먼저 전자를 보면 4세 때는 아빠는 무엇이나 할 수 있는 대상으로 여기고, 12세가 되면 아빠는 모르는 것이 많다고 느끼며, 14세에는 세대 차이가 난다고 느낀다. 그러다가 점점 나이가 들어가면서 50세에는 훌륭한 분이었다고 회상하고, 60세에는 살아 계셨다면 꼭 조언을 들었을 텐데라며 후회한다는 내용이다. 한편 후자를 보면 "쓴 것만 알아 쓴 줄 모르는 어머니. 단 것만 익혀 단 줄 모르는 자식. 서로 바꾸어 태어나면 어떠하리"라고 되어 있다. 다음 세상에 서로 바꾸어 태어나도 오늘날의 어머니들처럼 자식에 대한 내리사랑은 어렵지 않을까 생각한다. 필자의 어머니는 칠순이 넘으셨고 무릎 관절이 닳아 아픈 가운데서도 일을 하신다. 그리고 초등학교도 나오지 못해 지금은 흔한 초등학교 동창회 하나 없는 것을 보면 정말 마음이 아프다. 솔직한 심정은 명예 졸업장이라도 만들어 드리고 싶을 정도다.

지천명知天命을 넘어서다 보니 부모님의 마음이 자연스럽게 헤아려진다. 부모님과 전화 통화할 때면 녹음을 해두는 습관이 생겼다. 목소리를 듣고 싶어도 들을 수 없는 순간이 오기 때문이다. '밥 챙겨먹어라', '차 조심해라'는 말이 '사랑한다'의 다른 표현이었음을 알게 된다. 더 늦기 전에 아버지의 의견을 듣고 어머니의 마음을 좀 더 헤아려야겠다. 매년 어버이 날은 돌아온다. 일 년에 한 번이라도 카네이션을 달아드리는 것을 대수롭지 않게 생각할 수도 있다. 하지만 그것이 단순한 꽃이 아니라 사랑하는 마음을 전하는 또 다른 표현이기 때문에 잊지 말고 달아드려야 한다. 부모님들은 자식이 효도할 때까지 기다려주지 않는다. 자식이 효도를 다 하려고 하나 기다려주지 않는다고 하여 풍수지탄風樹之歎이라는 말이 있다.

손남태 시인의 '나 빈 가슴으로 간다'는 시 구절처럼 헤어짐과 만남이 잦은 오늘날 쉬이 덧나기 쉬운 가슴의 상처를 입지 않기 위해 빈 가슴으로 살아야 한다. 부모와 자식으로 만나 이 세상에서 인연을 다하고 다음 생에 상처 없이 다시 만나기 위해 따뜻한 가슴으로 살아가야 한다.

눈물을 잃어버린 요즘과 같은 세대들에게는 냉정한 이성보다는 뜨거운 감성이 훨씬 더 많이 필요하다. 하루의 소중함에 감사하고, 그 감사를 표현하고 주어진 상황을 받아들이는 것이다. 따뜻한 가슴을 위해 마음을 비우고, 옆자리를 비워둘 마음의 여백을 가지는 것이 삶을 유연하게 살아내는 태도가 아닐까 한다.

35

미래의 자신과 경쟁하라

　　김연아 선수는 2014년, 동계 올림픽이 열렸던 러시아 소치로 떠나기 전 기자회견에서 "내 경쟁자는 오직 나뿐"이라고 했다. "가장 중요한 것은 내가 어떻게 경기를 하느냐에 달렸다."고 덧붙였다. 이는 승부의 요인은 자기 안에 있고, 자기와의 싸움으로 판가름 된다는 뜻으로 한 말이다.

　우리는 끊임없이 타인과 자신을 비교한다. 가진 것이 많아도 항상 부족하다고 느끼고, 더 많이 가지려고 탐욕을 부린다. 자존감이 낮거나 열등감이 많은 경우엔 더 심하다. 그리스 철학자 에피쿠로스Epikouros는 "가지지 못한 것에 대한 욕망으로 지금 가진 것을 망치지 말라."고 하면서 "지금 가진 것이 언젠가 원하던 바로 그것임을 기억하라."고 충고했다. 소중하고, 원하던 것이 가까이 있음에도 알아보지 못한 채 방황하는 모습을 파울로 코엘료Paulo Coelho의 『연금술사』, 너새니얼 호손Nathanier Hawthorne의 『큰바위 얼굴』, 그리고 행복을 찾아 떠난다는 모리스 마테를링크Maurice Maeterlinck의 동화 『파랑새』 이야기를 통해서 알고 있다.

진정한 삶이란 남들과 비교되는 삶이 아니라 자신의 주어진 상황에서 자신만의 가치 있는 의미를 만들어 가는 삶이라고 생각한다. 그리고 현재의 자신과 나아질 자신의 미래 모습을 비교하면서 발전하며 살아가는 것이 진정한 삶이 아닌가 한다.

실존주의자인 샤르트르Chartres는 "실존은 본질에 앞선다."고 하면서 인간은 스스로 삶의 의미를 만들어 가는 창조적 존재라고 했다. 이러함에도 우리는 남들과 비교하면서 성공의 기준을 남들에게 맞춘다. 비교 자체는 건전한 발전을 촉진하는 역할도 하지만, 비교의 끝은 공허함이며, 마음의 평정을 잃게 한다.

사람은 모두 다른 상황에 부딪힌다. 같은 상황은 있을 수 없다. 존 롤스John Rawls는 『정의론』에서 "불평등은 불평등이 가장 불리한 입장에 있는 사람에게도 이익이 되는 경우에만 정당화될 수 있다."고 얘기했지만, 엄연히 불평등 상황은 어느 시대, 어느 국가에서도 존재한다. 다름을 인정하고 가질 수 없는 것을 쫓기보다는 현재 자신의 위치에서 할 수 있는 일에 최선을 다하는 것이 훨씬 보람 있는 일이라 생각된다.

우리는 태어나는 순간 이미 선택을 받은 존재다. 이 세상에는 자신만큼 귀한 사람 또한 없기 때문이다. 또한 내가 존재하지 않으면 모든 것이 존재하지 않는다. 프랑스 철학자이자 시인인 폴 발레리Paul Valery는 "생각대로 살지 않으면 사는 대로 생각하게 된다."고 했고, 『죽기 전에 후회하는 다섯 가지』의 저자 브로니 웨어Bronnie ware는 남의 시선을 의식하지 않고 자신의 삶을 살지 못한 것이 후회된다고 했다. 자신의 색깔을 만들어 나가지 못하고 남들과 비교하면서 산다는 것이 얼마나 무의미하고 상실감이 큰가를 알려주고 있다.

미켈란젤로Michelangelo Buonarroti는 "자기의 경쟁 상대는 완벽parogon을 추구하는 자기 자신이다."라고 하면서 다른 누구도 아닌 미래의 자신과 경쟁한다고 했다. 아리스토텔레스Aristoteles는 "탁월함이란 훈련과 습관이 만들어낸 작품"이라고 했다. 하수는 주변의 것들과 자신을 비교하고, 고수는 자신의 나아진

'큰 바위 얼굴'이 알려주는 교훈은 삶에서 가장 큰 보물은 바로 자기 자신이라는 사실이다.

3부 목적이 이끄는 삶

미래의 모습을 그리며 끊임없이 정진한다. 남들과 비교하면서 아까운 시간을 소비하기보다는 끊임없는 연습과 노력하는 습관을 통해 미래의 나아진 자신의 모습을 그려나가야 한다. 우리의 비교심리는 인생이 끝나야 멈춘다. 이럴 때일수록 앞서 살다간 분들의 말씀을 되새기며, 완벽을 추구하는 미래의 자신을 경쟁 상대로 삼아야 한다. 인생의 진정한 승리는 남과 비교하여 우위를 점하는 것으로 결정되는 것이 아니라 최고를 지향하면서 최선을 추구하는 자신과의 싸움에서 결정된다.

인생 후반기에 필요한 자세 : 희망

철학자 플라톤Plato은 "친절하라! 그대가 만나는 사람들은 모두 힘겨운 싸움을 하고 있으니…"라고 말했다. 그 싸움은 자신과의 싸움인 경우가 많다. 나석주 시인의 시「대추」를 보면 그냥 붉어질 리가 없고, 그 안에 태풍, 천둥, 벼락 등 수천 개가 있다고 했다. 나이 들어간다는 것은 신체적, 심리적, 사회적인 많은 생채기를 남기는 과정이지만 어느 작가의 말처럼 놓지 못한 욕심, 회한, 미움, 불안이 슬그머니 녹아버리는 괜찮은 일인지 모른다.

유럽에서는 생애 주기를 4단계로 나누는데 중년기와 노년기로 정의될 수 있는 시기를 서드 에이지The Third Age라 부른다. 심리학자 칼 구스타브 융Carl Gustav Jung은 이 시기를 제2의 사춘기라고 했다. 하버드대 성인발달 연구소의 윌리엄 새들러William Sadler 박사는 그의 책『서드 에이지, 마흔 이후 30년』에서 이 시기는 덤으로 사는 것으로 마흔 이후 30년 동안 인생의 2차 성장을 통해 자아실현을 추구해야 하는 시기로 보았다.

사회적 성격발달 이론으로 유명한 심리학자 에릭슨E.Erikson 은 이러한 서드 에이지에 필요한 것으로 '자아통합감'을 꼽았다. 통상 이 시기에는 사회적 지위와 경제적 상실, 자아 정체감 변화와 사회활동의 위축이 이뤄지는 시기다. 자아통합은 살아온 삶을 돌아보고, 자신의 삶을 유의미한 것으로 인식하면서 자신을 보듬고 자신과 화해하는 것이다. 잘 살아왔든 아니든 다른 사람들의 삶과 비교할 수 없는 그 자체로서 소중하다 여기며 자기 존재를 인정하는 일이다. 그렇지 않으면 절망감이 들게 된다.

한편 100세를 넘긴 연세대 김형석 명예교수는 어떻게 살아왔냐는 물음에 고달팠지만 행복했다고 했다. 인생의 황금기는 60세부터 75세라고 하면서 90세까지 자신감을 가지고 뛰자고 했다. 행복에 대한 연구 결과를 보면 나이가 들어갈수록 행복감은 20대와 30대를 거치며 점차 떨어지지만, 40세를 넘어서면 다시 증가하는 U자 형태를 띠었다. 하버드대 조지 베일런트George Vaillant 교수의 72년간의 성공적 노화에 관한 종단 연구 결과 고통에 대응하는 성숙한 방어기제, 교육, 안정된 결혼생활, 금연, 금주, 운동, 알맞은 체중 등이 행복의 조건이었다. 자기심리학으로 유명한 하인즈 코헛Heinz Kohut은 노년기의 필요한 요소로 경제적 안정과 지지적인 사람들, 심리적 건강, 그리고 신체적 건강을 꼽았다.

 살아가면서 많은 어려움을 겪는다. 정신의학자인 엘리자베스 퀴블러 로스Elisabeth Kübler-Ross의 말처럼 아름다운 정원에 앉아 있다면 아무것도 배우지 못하지만, 고통을 아주 특별한 선물로 여긴다면 성장할 수 있다. 힘이 들 때 긍정적인 사고가 필요하다는 말이다. 매슬로우 욕구 5단계 중 최상위 욕구는 자아실현이다. 그러나 그보다 더 상위의 욕구가 '기여'라고 한 것을 아는 이는 별로 없다. 더 나은 사회를 위해 봉사하며, 스스로 쓰임 받는 존재임을 자각하고, 욕심의 무게가 인생의 무게가 되지 않도록 내려놓는 자세가 필요하다. 나이가 들면 부드러워질 필요가 있다. 하지만 부드러워지려면 강해져야 한다. 무엇보다 절망을 치유하는 명약, 희망을 늘 품고 살아야 한다.

 어제의 나와 오늘의 나가 만났을 때, 오늘의 나가 성장했다면 분명 이기는 싸움이다. 그러나 나서지 않고 머무르고만 싶어 한다면 '나 자신과 끊임없이 대화'하는 시간이 필요하다. 끊임없이 붙잡아야 할 것은 '나다울 것', '나답게 사는 희망을 놓지 않을 것'이다.

"자신이 해야 할 일을 결정하는 사람은
세상에서 단 한 사람, 오직 나뿐이다."

오손 웰스

8장

인간과
인생의
가치

36

우연은
우연히 일어나지 않는다

모든 순간은 생애 단 한 번의 순간이며 모든 만남은 단 한 번의 인연이라는 '일기일회一期一會'라는 말이 있다. 다양한 사회활동 속에서 작은 일이나 짧은 인연일지라도 추후 어떤 결과를 낳을지 모르기 때문에 항상 진실한 모습과 신뢰를 보여주어야 한다. 시인 정현종의 시구처럼 사람을 만난다는 건, 사실은 어마어마한 일이다. 그 사람의 일생과 마주치는 순간이고, 각자의 이야기와 만나는 것이다. 그래서 사람을 사람 책이라 부르기도 한다.

우연을 만드는 것은 그냥 만들어지지 않는다. 의도하지 않으면 아무일도 일어나지 않는 것처럼 주관적 의지의 개입이나 의도된 행동이 수반되어야 한다. 우연이 필연이고 필연이 우연이 될 수 있다. 왜냐하면 우연은 결코 우연하게 일어나는 것이 아니기 때문에 그렇다.

우연은 절대 우연히 오지 않는다

우리의 현재 모습은 의도적으로 노력해 온 결과이기도 하지만 여러 우연이 모인 결과이기도 하다. 삶은 우연의 연속이며 매 순간을 어떻게 받아들이느냐에 따라 그 결과는 달라진다. 흔히 운이 좋아 성공했다거나 운명적으로 누군가를 만났다는 말을 듣는다. 이러한 일련의 일들이 운명인 것 같지만 제대로 분석해보면 실제로는 잠재적 사건의 축적된 결과인 경우가 많다. 미국의 심리학자 존 크롬볼츠John D. Krumboltz 교수는 계획적으로 노력하여 이룬 성공은 20% 정도이고 나머지 80%는 우연적 요소로 결정된다고 보았다.

그는 삶 속에서 생기는 다양한 우연적인 사건들에 주목하면서 예상치 못한 많은 일 중에 긍정적으로 작용하는 경우를 '계획된 우연Planned Happenstance'이라고 칭했다. 살면서 우리 주위를 보면 다양한 우연적인 사건들이 긍정적인 효과를 가져와 운명이 바뀐 사례를 자주 볼 수 있다. 그렇다고 별다른 노력을 하지 않는데 운명 같은 행운이 일어나지는 않는다. 현재의 성공이나 좋은 상황은 알고 보면 과거에 열린 마음으로 최선을 다했던 결과이고, 매사에 적극적으로 임한 결과가 긍정적 도약의 기회로 나타난 것이다.

사람들과의 만남 또한 중요하다. 비록 스쳐가는 인연이라도 말이다. 미국의 권위 있는 사회학자인 마크 그라노베터Mark Granovetter는 '강력하게 연결된 관계보다 느슨하게약하게 연결된 관계가 효율성이 높다'는 이론을 주장했다. 이에 따르면 다양한 사회적 관계 중에서도 비교적 약한 관계 속에 있는 사람들로부터 더 많은 도움을 받는다고 한다. 그는 "구매는 가까운 친구보다 가끔 연락하는 지인을 통해 많이 발생한다."고 했다.

비록 지금은 어렵고 힘든 터널 속에 있다고 하더라도 매 순간 노력과 준비를 하다 보면 성공이나 취업은 필연처럼 다가올 수 있다. 기적은 기적처럼 일어나지 않는다. 역경을 도약의 기회로 삼고 우연을 내 편 같이 만들어야 한다. 우연한 만남이나 사건을 열린 마음으로 받아들이고 그것을 적극적으로 활용하느냐에 따라 그것은 운명이 되며 우리는 이러한 운명을 행운이라 부른다.

사람들은 살아가다 보면 계획에 따라 행동하려고 노력을 하지만, 적지 않게 많은 우연과 만나게 된다. 우리는 세상의 성공한 사람들이 이런 수많은 우연에서 기회를 붙잡은 사람들이었다는 사실을 깨닫고 매 순간 최선을 다해야 한다. 우연은 우연히 일어나지 않기 때문이다.

아직은 벌써가 된다

가족과 함께 정약용 선생의 유적지를 방문했다. 전남 강진에서 18년 동안 유배 생활을 했던 정약용 선생은 유배되자마자 네 살 난 막내아들 죽음의 소식을 접했다. 아들이 그토록 갖고 싶었던 소라껍데기를 보내지 못했음에 마음 아파했다. 외동딸에 대한 사랑 또한 가슴을 아프게 했다. 애틋한 딸에 대한 사랑이 『여유당집』에 실려 있는데, 그 글은 유적지 대리석에 새겨져 있다.

같이 방문한 초등학교 막내딸의 모습이 연상되면서 마음이 짠했다. 주위를 보면 일 때문에, 아니면 학업 문제 등으로 가족과 헤어져 지내는 경우가 많다. 필자 또한 직장 문제로 지방에서 근무하는 경우가 있어 딸아이를 자주 안아주지는 못한다.

어려운 때가 닥치면 중국의 시진핑 주석의 사례로 위안삼곤 한다. 시진핑은 문화혁명의 소용돌이 속에서 "지식 청년들은 농촌으로 가서 가난한 농촌 속에서 재교육을 받으라."는 지시에 따라 8년간의 하방下方 생활을 토굴에서 보낸다. 부유한 생활을 하던 그로서는 비참한 생활이었다. 시 주석은 당시 경험을 떠올리며 "칼은 돌 위에서 갈고, 사람은 어려움 속에서 단련된다."며 당시 하방 기간을 자신을 성장시킨 소중한 시간으로 기억한다. 그때 배운 두 가지가 '현장에서 배우는 것'과 '자신감'이었다고 했다. 권토중래捲土重來라는 사자성어처럼 일어서기 위한 준비 시간이었다.

'피할 수 없으면 즐기라'는 말처럼 일상과 달라진 생소한 환경에서 생활하는 경우에 놓일 때가 많다. 그러나 모든 상황 속에서 분명히 배울 점은 있다. 정약용 선생은 유배기간 동안 결코 좌절하지 않았다. 후대를 위해 꾸준히 창작하여 숱한 역작을 남겼다. 대국인 중국의 국가 주석의 위치에 오를 수 있었던 배경도 쓰라린 과거 경험이 덕분이 아니었을까 생각한다. 시련은 앞으로 살아갈 날의 자양분이 되고 한 단계 성장시키는 계기가 될 것이다. 한편으로는 방향타가 되고 주위의 유혹에도 흔들리지 않게 만들어 줄 것이다. 푸시킨Pushkin의 『삶이 그대를 속일지라도』의 시 구절처럼 설움의 날 참고 견디면 기쁨의 날은 오고야 말 것이다. 모든 것은 순간에 지나가고 지나간 것은 다시 그리워진다.

　모든 일은 생각하기 나름이다. 인생 자체가 고행이라는 걸 안다면 받아들이는 것 자체가 오히려 맘을 편하게 하는 방법일지도 모른다. '왜 나만?'이라는 질문보다는 이 상황은 어떻게 지나갈 수 있을까를 생각하는 것이 좋겠다. 물론 답 없는 막막한 상황일 수 있지만, 그 상황이 언제까지나 계속되는 건 아니기 때문이다. 시작되었으니 언젠가 끝나는 때도 있을 것이다. 당장에는 알 수 없어도 지나고 보면 버릴 경험은 없다.

　그렇게 하나씩 넘어가다 보면 비슷한 일이 왔을 때, 버티는 여유도 생긴다. 그게 버티고 유지하는 힘, 그릿Grit이다. 아직이 벌써로 느껴지는 순간이 오고, 영원할 것 같은 오늘도 금세 지나간다. 시간은 공평하게 주어진다. 하루를 36시간인 것처럼 사는 사람도 있고, 하루를 무료하고 무기력하게 보내는 사람도 있을 것이다. 변화하지 않으면 그 자리는 그대로 머물러 있을 수밖에 없다. 변화하는 시대, 나는 어떻게 살 것인가.

기적은 기적처럼 일어나지 않는다.

역경을 도약의 기회로 삼고
우연을 내 편 같이 만들어야 한다.

우연한 만남이나 사건을
열린 마음으로 받아들이고
그것을 적극적으로 활용하느냐에 따라
그것은 운명이 되며
우리는 이러한 운명을 기적이라 부른다.

37

단순함이
최고 가치다

　　현재를 즐기는 사람을 능가할 자는 없다고 한다. 그
만큼 현재 자체를 긍정적으로 바라보고 받아들이는 것이 우리
에게는 어려운 일인지도 모른다. 그런데 생각해보면 그것만큼
지혜로운 생각이 없다. 순간은 지나가면 끝이다. 영원히 끝날
것 같지 않은 고통스런 순간도 있지만 결국에는 지나간다.

　오늘 하루를 주서서 감사하고, 삼시 세끼 따뜻한 밥 먹게 해
주서서 감사하고, 일할 수 있어서 감사하다. 감사의 눈으로 보
면 어떤 것이든 감사할 수 있다. 현재를 즐겨라는 말이 언뜻 듣
기에는 무책임해 보일 수 있지만, 사실은 가장 인생의 본질을
제대로 파악한 사람의 생각이라고 본다. 당장 눈앞의 일을 알
수 없어도 그렇기 때문에 주어진 오늘에 최선을 다하는 것이
다. 순간을 충실하게 살려는 노력이 우리에게는 필요하다.

이 순간을 살라

명절은 철부지였을 때는 용돈을 받을 수 있는 그 자체만으로도 좋았다. 커서는 취업 준비로 명절이 그렇게 반갑지만은 않았던 것 같다. 그러다가 나이가 들면서 명절의 소중함을 느끼게 되었다.

누가 가르쳐주지 않아도 자연스럽게 그만큼 늙어 가고 성숙해 가고 있다는 방증일 것이다. 명절날, 부모님의 얼굴을 볼 수 있는 시간이 주어졌다는 것만으로도 감사하고 또 감사하면서 시간이 지나는만큼 생각도 영글어 간다.

지금 이 순간은 다시 오지 않는다. 우리는 늘 지나고 나서 후회하고 눈물을 흘린다. 사랑한다고 말할걸, 한 번이라도 더 안아줄걸, 노력할걸 등등 삶이 후회의 연속이다. 또한 미래를 위해 현재를 희생하면서 계획을 세운다. 내일을 위해 오늘의 고통을 기꺼이 참고 견딘다. 그러다 보니 현재는 늘 걱정이고 고민투성이다.

미국의 칼 필레머Karl Pillemer 코넬대 교수는 1,500여 명의 노인을 대상으로 '살면서 가장 후회되는 것'이 무엇인지 물었다. 가장 많은 답변이 '너무 걱정하면서 산 것'이었다. 걱정되는 것을 효과적으로 이겨내는 방법으로 하루의 일만 생각하라고 조언하고 있다. 너무 먼 미래의 계획을 세우면서 걱정하지 말라는 것이다. 미국의 심리학자 어니 젤린스키Ernie J. Zelinski는 말하길 "고민해서 해결될 문제는 4%밖에 되지 않는다."고 했다.

오늘을 희생하는 일은 결국 죽음에 이르러서야 끝이 난다. 이것은 상자 안의 과일 중에서 좋지 않은 과일부터 먼저 먹다 보면 결국 좋지 않은 과일만을 매일 먹게 되는 것처럼 미래에만 살다 보면 오늘이 없어진다.

대부분 사람들은 행복해지는 데 필요한 것을 가지고 있으면서도 그다지 행복하다고 느끼지 않는다. 크든 작든 우리는 우리가 성취한 것에 만족하지 않으면서 늘 근심이고 걱정이다. 시간이 지나고 나서야 주위의 모든 것이 행복임을 알게 된다. 예전에 몰랐던 명절이 행복이었음을 지금 느끼듯이 말이다.

그렇기때문에 하고 싶은 게 있다면 지금 해야 한다. 사랑한다면 지금 말하고, 표현해야 한다. 주위의 사랑하는 사람은 영원히 곁에 있을 수는 없다. 인생을 짧고 예술은 길다고 말하지만, 인생은 길고 시간은 짧다. 너무 미래를 내다보는 것보다는 오늘이 마지막이라는 생각으로 이 순간을 살아야 한다. 메멘토 모리Memento mori, '네가 죽을 것을 기억하라' 이 말을 잊지 말았으면 한다.

단순하게 살아라

사업 계획을 수립할 때면 고민이 먼저 앞선다. 사업 계획의 본질적인 문제에 대한 고민이 아니다. 보고서의 양을 얼마로 할지, 시각적으로 어떻게 잘 꾸밀지 하는 것이다. 한마디로 지엽적이고 사소한 문제를 가지고 고민한다.

　삼성그룹, 포스코, SK텔레콤 등이 '1페이지 보고서 작성'을 시행했다. 외국에서는 P&G, 도요타 등이 문서작성의 기준을 1페이지 보고서로 하고 있다. 부가가치를 창출하지 못하는 문서작업을 최소화하고 그 시간에 창의적인 활동에 전념하라는 뜻이다. 전략적 사고는 단순화하는 기술이라는 것을 간파한 것이다.

　우리가 살아가는 세상은 정말 복잡하다. 꼭 복잡해야만 올바른 삶일까? 복잡하다고 반드시 본질을 추구하는 삶이라고는 할 수 없다. 우리는 본질이 아닌 불필요한 경쟁요소 때문에 불행해지는 것은 아닌지 생각하게 된다.

　'오컴의 면도날Occam's razor'이라는 말이 있다. 이 원칙은 절약의 원리 혹은 단순성의 원리로 불리며, 모든 조건이 동일한 상황에서는 가장 단순한 것이 답이라는 말이다. 설명은 단순한 것일수록 뛰어나다. 단순함이란 심오한 고민의 결과이기 때문이다. 절약의 법칙Law of parsimony 라는 것도 있다. 간단한 설명으로도 잘 되는 것을 굳이 복잡하게 설명할 필요가 없다는 것이다. 오히려 정리되지 않은 글일수록 사족이 많고, 분량이 많을 수 있다. 핵심메시지만 뽑아서 단순화하고 함축하는 습관을 들여보는 것이 좋겠다. '단순함'이란 업무 효율도 올리고, 불필요한 고민과 걱정도 덜어낼 수 있는 최고의 가치이다. 단순하게 생각하며, 단순하게 순간을 살자.

38

이성적인 것보다
매력적인 것이 낫다

비교하는 순간 행복은 끝나고 불만족이 시작된다는 말처럼 열등감은 우울증의 원인이 되지만, 때로 성장과 발전의 원동력이 되기도 한다. 타인이 어떤 평가를 하느냐는 타인의 과제다. 따라서 과제의 분리를 통해 경계선을 정하는 용기가 필요하다. 그렇다면 어떻게 나다움을 유지하는 것이 좋을까?

적극적으로 나다워질 용기

인간은 무한한 잠재력이 있으며, 문제에 대한 해답은 그 사람이 가지고 있다. 스스로 할 수 있는 것은 자신의 선택을 최선이라 여기는 것이다. 그러다가 원하지 않은 방향으로 결과가 나오더라도 실패라 부르지 않고 경험이었다고 생각하면 된다. 아들러는 상황을 다르게 받아들이는 것은 타인의 자의적인 결정이라며 미움받을 용기, 평범해질 용기, 행복해질 용기가 필요하다고 했다. 인간은 변할 수 있고, 누구나 행복해질 수 있으니 그만큼 용기가 필요한 것이다. 인생의 의미는 일반적으로 규정할 수 없고 스스로 부여하는 것이다. 그런 의미에서 인생은 어떻게 받아들이냐에 따라서 전혀 다르게도 받아들일 수 있는 것 같다. 자신만의 생각에서 벗어나 넓게 바라볼 수 있는 용기가 필요하다.

삶의 의미는 외부적인 요인에 의해 운명 지어지는 것이 아니다. 우리는 자신의 운명을 스스로 창조할 힘을 가진 존재다. 미래를 결정하는 것은 과거의 경험이 아니라 그 경험을 어떻게 해석하느냐에 달린 일이다. 경험 그 자체가 아니라, 경험에 부여하는 의미에 의해 결정되는 것이다. 중요한 것은 무엇이 주어졌는지가 아니라, 주어진 것을 어떻게 사용하는지다.

시인 알프레드 디 수자Alfred D. Souza의 「행복」이라는 시를 보면 삶이라는 길 위에는 항상 장애물이 있었고, 그 장애물이 바로 삶이었음을 깨달았다고 했다. 그러면서 시간은 아무도 기다려주지 않으니 모든 순간을 소중히 여기라고 말하고 있다. 장애물이 곧 삶이었다는 사실은 삶 자체가 행복이라는 방증이다. 살다 보면 좌절을 느끼곤 하는데 우리가 좌절을 느끼도록 연습하고 있는 것은 아닌지 생각해볼 필요가 있다.

심리학자 윌리엄 제임스William James는 우리 세대의 가장 위대한 발견은 인간이 자기 마음 자세를 바꿈으로써 삶을 바꿀 수 있다는 것을 발견한 것이라고 했다. 그러면서 생각이 바뀌면 행동이 바뀌고, 행동이 바뀌면 습관이 바뀌고, 습관이 바뀌면 인력이 바뀌고, 인격이 바뀌면 운명이 달라진다고 했다. 이제는 스스로 의미를 부여할 용기가 필요하다. 이를 위해 자신을 있는 그대로 받아들이는 '자기 수용'과 타인을 조건 없이 신뢰하는 '타자 신뢰', 타인을 위해 무언가를 해주려는 '타자 공헌'의 세 단계가 선순환돼야 한다.

모든 것은 마음먹기에 달렸다. 누군가는 마음만큼 위대한 의사는 없다고 했다. 마음이란 것이 추상적인 개념이 아니라 생리적 차원에서 구체적인 반응을 일으키고 생물학적 역할을 수행함으로써 생리적, 생물학적 반응 또는 변화 과정에 기여한다. 생각과 마음에서부터 비롯된 작은 출발이 궁극적으로 행동의 변화, 생리적 변화, 신체적 변화를 초래한다. 살다가 겪는 어려움이나 좌절을 실패로 규정하지 않아야 한다.

매력: 사람을 끌어당기는 힘

매력魅力의 사전적 의미는 '사람을 끌어들이는 힘'이다. 매력의 요소는 외모 같은 시각적인 요소에서부터 마음, 분위기 등과 같은 심리적, 감각적 요소, 그리고 언어와 같은 청각적인 요소들이 복합적으로 작용하여 매력이 만들어진다.

영어로 매력은 'charming'이다. 고대 유럽 남자들은 노래 잘 부르는 여자의 매력을 두려워했다고 하는데, 노래 부르는 여

자라는 뜻의 카르멘에서 유래했다. 영국의 사회학자 캐서린 하킴Catherine Hakim은 그의 저서 '매력자본'에서 경제자본, 문화자본, 사회자본과 함께 매력자본이 개인이 지녀야 하는 자산이라고 하면서 매력도 자본이 될 수 있다고 했다.

한편 국제학자인 더글라스 맥그레이는 한 나라의 국력이 국민총생산GNP 같은 경제적 가치에 의해서만 결정되는 것이 아니라 국민의 생활양식, 가치관, 미적 감각, 철학, 이미지 등 문화적 가치에 의해 영향을 받을 수 있다고 하면서 국민총매력지수GNC로 부富를 측정해야 한다고 주장하기도 했다.

이러한 매력을 구분하는 안목은 타고난다고 하는 견해와 사회화 과정에서 획득된다고 하는 견해가 서로 나뉜다. 진화심리학에서는 사람은 '백지tabula rasa'와 같은 상태로 태어나기 때문에 성장하면서 사회화 과정을 거치면서 만들어진다고 한다. 생후 2개월 된 갓난아기에게 잘생긴 얼굴과 그렇지 않은 얼굴의 사진을 뒤섞어 보여준 결과 잘생긴 얼굴에 더 오랫동안 시선이 머물렀다는 연구결과를 보면 기본적으로 매력을 구분하는 능력을 지니고 태어난다고도 볼 수 있다. 일반적으로 사회생활에서는 매력이 상당한 장점으로 작용한다. 굳이 외모가 아니더라도 성격 등 매력적인 사람은 그렇지 않은 사람들보다 성공할 확률이 더 높다.

직장생활에서도 일정 부문 개인적인 능력보다는 매력이 평가 기준이 되는 경우도 많다. 조직 내의 부수적인 가치를 기준으로 부하들의 등급을 매기려 한다는 '피터의 도치Peter's

'라는 표현이 있을 정도다. '믿을 만하다', '분위기를 부드럽게 만든다', '꾸준하고 착실하다', '동료와 협조를 잘한다' 등으로 평가된다고 보는 것이다.

통상 사람들은 잘생긴 사람이나 매력적인 사람은 성격도 좋고 여러 가지 바람직한 행동 특성을 보인다고 생각하는 경향이 있는데 이것을 '매력 고정관념'이라고 한다. 사람은 두 가지 자아를 가지고 있다. 내가 아는 자아, 타인이 아는 자아다.

그래서 타인이 아는 자아에도 많은 신경을 써야 한다. 살아보니 이성적인 것보다 매력적인 부분이 사람들에게 더 호소력을 갖는 경우를 많이 본다. 자신이 지닌 장점을 더 부각하여 매력적인 사람이 되도록 노력해야 한다.

노력은 절대 배신하지 않는다

미국 콜롬비아 대학Columbia University의 캐롤 드웩Carol Dweck 교수는 우리가 사고하는 방식에는 '고정형 사고방식'과 '성장형 사고방식'이 있다고 한다. 고정형 사고방식은 자신의 능력이 고정돼 있다고 믿고, 자신의 능력 범위를 벗어날 수 없다고 생각하는 것이고 성장형 사고방식은 '능력이란 근육과 같다'고 생각하여 연습과 훈련을 통해 강화될 수 있다고 믿는 것이라 했다. 그러면서 어떤 분야에서 일하든지 성장형 사고방식을 가져야 성공 확률이 높아진다고 단호하게 주장한다.

최근 사뭇 다른 내용의 뉴욕타임스NewYork Times 보도가 있었다. 미국 미시간주립대Michigan State University 심리학자 자크 햄브릭Jacques Hambrick 교수 등이 발표한 "능력은 노력보다는 타고난 재능이 더 많은 영향을 미친다."는 연구 결과다. 노력연습이 수행 능력에 미치는 영향은 게임 26%, 음악 21%, 체육 18%였으며 공부는 4% 정도였다.

우리는 '1만 시간의 법칙'으로 잘 알려진 바와 같이 10여 년을 연습하면 특정 분야의 전문가가 될 수 있다고 믿어왔다. 이 법칙은 미국의 심리학자 앤더스 에릭슨Anders Ericsson의 「재능 논쟁의 사례 A」 보고서에서 처음 소개된 이후 말콤 글래드웰Malcolm Gladwell의 저서 『아웃라이어』를 통해 잘 알려졌다. 또한 신경과학자인 다니엘 레비틴Daniel Levitin 교수가 "특정 분야에 1만 시간만 연습하면 해당 분야의 전문가가 될 수 있다.", "타고난 능력보다는 후천적인 노력이 더 중요하며 젊은 나이부터 연습하는 것이 좋다."는 연구결과를 발표하기도 했다.

그렇다면 '노력은 배신하지 않는다'는 말은 틀린 말일까? 선천적인 재능에 따라 능력이 결정되고 운명이 결정되는 것이라면 수많은 분야의 전문가는 별다른 노력 없이 전문가가 된 것일까? 필자는 이에 동의하지 않는다. 독일의 생물학자인 리비히Liebig의 이름을 딴 '리비히의 법칙Liebig's Low'이라는 것이 있다. 식물이 성장하는 데 있어 풍부한 원소를 갖고 있더라도 부족한 원소가 있다면 그 원소 때문에 성장하지 못한다는 내용이다. 한 마디로 최대가 아니라 '최소'가 성장을 좌우한다는 것이다. 전문가가 되는 것도 이와 같다. 비록 노력이 공부에 미치는 영향은 4%밖에 되지 않는다고 하더라도 이 작은 부분인 노력을 게을리하면 타고난 재능이 있더라도 전문가가 되기 힘들다. 100℃에서 끓기 시작하는 물이 1℃만 부족해도 끓지 않는 것과 같다.

우리 뇌에는 전선의 플라스틱 피복과 같이 신경세포를 둘러싸는 미엘린myelin이라는 것이 있다. 지속적인 연습은 피복을 점차 두껍게 하는데, 미엘린이 두터워지면 짧은 시간에 많은 능력을 발휘할 수 있게 해준다고 한다.

태어날 때부터 운명이 결정되었다면 노력하지 않게 되고, 체념하게 될 것이다. 지금 이 시간에도 고시원에서 또는 도서관에서 보다 나은 내일을 위해 노력하는 사람들이 많다. 훌륭한 스포츠맨이 되기 위해 뙤약볕 아래서 땀 흘리는 사람들이 많다. 노력과 연습이 재능에 미치는 영향이 크지 않다는 내용으로 상실감을 느끼는 사람들이 없었으면 한다.

토마스 에디슨에게 물었다. "18시간이나 연구소에서 일하면 힘들지 않나요?" 그러자 에디슨은 "나는 평생 단 하루도 일이란 것을 해본 적이 없다. 모두 즐거움이었다."라고 대답했다.

즐기는 자를 당할 재간은 없다. 오늘 하루 주어진 이 순간은 즐거워하며 감사함으로 받아들이는 사람을 이길 자는 없다. 주어진 모든 것이 당연하지 않다는 걸 받아들이는 순간부터다. 진정으로 나 자신을 있는 그대로 받아들이는 순간, 진정한 나다움을 발견하게 될 것이다.

39

오늘을 견디는 힘은
내일이 있기 때문

　　언젠가 우리가 왔었던 것처럼 언젠가는 떠나게 될
것이다. 그렇다면 삶에 머무는 순간 동안 무엇을 가치에 두고
살아야 하는 걸까. 하루가 다르게 변화하는 이 시대 속에서 어
떻게 나 자신을 지켜내야 할까. 이 시대에 우리가 마음에 품어
야할 가치란 무엇일까?

윤슬같은 삶

　　윤슬이란 강이나 바다에서 햇빛을 받아 영롱하게 반짝이는
잔물결을 뜻한다. 이런 반짝이는 잔물결은 해가 지거나 바람
이 불지 않으면 만들어지지 않고 금세 사라지는 것이 특징이다.
　　맹문재 시인은 아름다운 얼굴이라는 시에서 '소란하되 소란
하지 않고, 황홀하되 황홀하지 않고 윤슬이 사는 생애란 눈 깜

짝할 사이만큼 짧은 것'이라고 하면서 '윤슬을 바라보다가 깨달은 일은 아름답게 사는 일'이라고 했다. 어떤 깨달음이었다. 단 두 단어로 이루어진 순우리말이 내게 남긴 여운은 잔물결처럼 마음에 퍼졌다. 우리 삶 자체가 아름답지만 어쩌면 곧 사라질 윤슬과 같은지도 모른다.

몇 해 전 영화 〈곡성〉이 개봉 당시 어느 지자체 장의 글이 감동을 준 적이 있다. '사람 수 만큼 많은 희망들이 섬진강 윤슬처럼 함께 반짝이는 곡성谷城은 그야말로 자연 속의 가족 마을이다'는 글은 영화의 제목에서 느껴지는 이미지가 지역 이미지로 전이되지 않도록 하는 역발상적인 생각이었다.

4년마다 정기적으로 열리는 월드컵 대회가 늘 반갑지만은 않다. 왜냐하면 평생 몇 번을 더 볼 수 있을까하는 생각 때문이다. 평균 수명을 감안하면 평생 20번을 보기가 쉽지 않다. 우리는 윤슬처럼 짧은 물리적 시간 속에서 절망과 희망을 품고 살아간다.

사람은 어떤 면에서 강한 것 같지만 어떤 면에서 약하다. 강한 것처럼 살다가 절망해서 더 큰 상처를 받는다는 것이 맞는지도 모른다. 살다 보면 순풍만 맞는 것이 아니다. 연은 역풍이 불 때 띄워야 잘 날고, 새들은 바람이 부는 날 둥지를 짓는다. 가장 큰 새로 알려진 앨버트로스Albatross는 바람이 가장 세게 불 때 넓은 날개를 펴고 이륙을 준비한다. 이처럼 역경을 디딤돌로 삼는 삶의 지혜가 필요하다.

세상에서 가장 실패한 사람은 무엇을 얻지 못한 것이 아니

잠시 살다가는 인생, 소풍처럼 윤슬처럼 기꺼이 아름다울 순 없을까.

라 왜 사는지 목적을 잃어버린 사람이다. 매 순간은 다시 오지 않는다. 순간이 모여 하루가 되고 일 년이 되는 것처럼 이 순간을 살아야 한다. 사라질 빛에 대해 분노하면서 반짝하고 사라지는 윤슬 같은 삶이지만, 아름답게 살도록 노력해야 할 것이다.

오늘이 있기에 내일이 기다려져

다니엘 S. 밀로Daniel S. Milo 파리 사회과학고등연구원 교수는 그의 책 『미래 중독자』에서 오늘날과 같은 '인간 전성시대'를 연 것은 바로 뇌의 비약적인 성장도, 엄지손가락도, 불의 발견이나 언어의 사용도 아닌 바로 '내일'이라는 개념을 발견한 것이라고 했다.

현생 인류는 내일이라는 개념을 떠올렸고 아직 존재하지 않은 미래를 위해 존재하고 현재를 포기할 줄 알게 되면서 불확실한 미래를 대비하기 위해 계획을 세우고 오늘을 희생하기 시작했다.

한편 '내일'이 인간의 전성시대를 연 힘은 맞지만, 내일을 발명한 후 항상 불안한 미래 때문에 불안할 수밖에 없었다고 한다. 이를 극복하는 과정에서 준비와 계획이라는 개념을 떠올렸고, 미래를 준비하는 과정에서 축적과 잉여가 생겨났다는 것이다. 지금의 상황을 그대로 여과없이 보여주고 있다.

특히 우리나라 사람들은 미래를 위해 오늘을 참아내며 밤늦게까지 일하고 공부하고 저축한다. 자식을 위해 부모는 기꺼이 인생을 희생한다. 내일이라는 가장 위대한 발명이 오히려 위대한 저주 속에 살게 했다고 저자는 말하고 있다.

현재 누리는 안락을 버리지 못하고 미지의 세계를 두려워하면서 체념한 듯 살아가는 평온한 절망quiet desperation에 빠진 많은 이들에게 교훈으로 다가온다.

욜로YOLO세대라는 말은 미국의 인기 래퍼 드레이크Drake의 'The Motto'의 후렴구에서 유래됐다. 옥스퍼드 대학 사전에 신조어로 등장한 이 말은 자기가 중심이 되는 라이프스타일을 뜻하기도 한다. 불안정한 미래를 위해 현재를 희생할 필요가 없다는 삶의 철학을 가지고 있는 것이다. 욜로는 현재의 행복을 위해서 하고 싶은 일을 당장 실행하며 지금 행복하게 사는 것을 매우 중요시한다.

최근 소비관련 용어에 '탕진잼'이라는 용어가 있다. 소비를 통해 소소하게 탕진하는 재미가 있다는 것인데, 호핑 Hopping 족이라는 용어도 있다. 자신의 소비 취향을 열정적으로 표현하는 덕후 소비문화의 대표적인 사례다. 스몰럭셔리란 용어도 있다. 고가의 외제차나 명품 옷 또는 가방에 목돈을 지출하기 어렵기 때문에, 상대적으로 적은 규모의 소비재나 프리미엄 식품을 구매해서 값비싼 제품을 소비하는 것과 유사한 만족감을 얻으려는 심리다.

불안, 불만, 불황이라는 3불 시대에 저렴한 아이템들을 다량으로 구매해 스트레스를 해소한다. 위시리스트보다는 버킷리스트 위주로 살고, 현재 지향적 소비형태를 보이고 있는 것이다. 내일을 사는 삶과 오늘을 사는 삶, 어느 삶이 더 바람직할까. 너무 내일만 추구하다 보면 오늘의 희생이 필요하고 현재에만 살다 보면 혹독한 내일과 마주치게 된다.

영화 〈바람과 함께 사라지다〉의 명대사 "Tomorrow is another day."를 기억하는가. 오늘이 힘들더라도 내일이 있고, 꿈이 있고 미래가 있어 오늘 절망하지 않고 힘든 것을 참고 견딘다. 내일이 있기에 오늘을 충실할 수 있는 것처럼 영원히 살 것을 꿈꾸고, 내일 죽을 것처럼 오늘을 살아야 하지 않을까?

40

세상은
꿈꾸는 자의 것이다

꿈을 잃어버린 시대, 하루하루가 닫혀가는 것 같은 막막함. 작금의 우울한 운명은 이것이 다인 것처럼 암담해 보인다. 그럼에도 살아갈 수 있다는 건 축복이다. 혹시 이루고 싶은 꿈이 있는가? 그 꿈은 무엇인가? 그 꿈에 대해서 얼마나 절박한 마음을 갖고 있는가? 꿈꾸는 자들에게 기회는 온다. 그렇다면 어떻게 꿈을 꿔야 할까? 그 부분에 대해서 차근차근 정리해보고자 한다.

꿈은 간절할수록 좋다

최근 신경의학계는 뇌 속 언어중추 신경이 모든 신경계를 지배하고 있다는 것을 정설로 받아들이고 있다. 미국 심리학자 윌리엄 제임스William james는 "생각이 바뀌면 습관이 바뀌고,

습관이 바뀌면 행동이 바뀌고, 행동이 바뀌면 인생이 바뀐다.”고 했다. 말로 구체화하고 생각하는 것이 신경계를 지배하면서 생각의 차이가 결과의 차이를 낳는다는 것인데 긍정적 믿음이 확신을 낳아 현실이 바뀌는 것이다. 자기의 꿈을 꼭 이루고자 한다면 다른 사람에게 공언하는 것도 효과적이다.

공개선언효과Public commitment effect에 관한 실험을 보면 A 집단에게는 목표점수를 다른 학생에게 공개하도록 했고 B 집단에게는 생각만 하게 했으며, C 집단에게는 목표점수를 요구하지 않았다. 실험 결과 A 집단은 현저하게 높은 점수를 받았지만, B, C 집단에서는 유의미한 점수 차이가 없었다고 한다. 이렇듯 꿈을 대외에 공표하고 목표를 구체화한 결과 다른 양상이 나타났다.

생각이 결과를 지배하는 것은 분명한 것 같다. 꿈을 이루기 위해서는 절박한 마음이 있어야 한다. 꿈이 절박하다면 어떤 것도 걸림돌이 되지 못한다. 절박하다면 일종의 ‘들이대 정신’과 유대인의 도전 정신인 ‘후츠파chutzpah정신’이 발동하게 된다.

목표 앞에 놓인 것이 장애물로 보이면 꿈이 간절하지 않기 때문인데 목표보다는 생각에 한계가 있다고 볼 수 있다. 중요한 건 꿈의 절박성이다. 간절히 원한다면 행동이 간절해져 성공 가능성을 높여준다. 절박함이 없으면 찾고자 노력하지 않게 된다.

미국 카네기멜론대학교 컴퓨터공학과 교수였던 고故 랜디 포시Randolph Frederick Pausch 교수는 췌장암 선고를 받고 시한부 인생을 살면서 마지막으로 한 대학 강의에서 자신이 이룬 꿈을 얘기했다. 한때는 프로축구 선수가 되는 것이 꿈이었지만, 이루지 못한다.

하지만 경험이란 원하는 것을 얻지 못했을 때 생기는 것이라 하면서 꿈을 꾸면서 많은 걸 얻었다고 했다. 또 하나의 꿈은 놀이동산의 대명사인 디즈니에 입사하는 것이었다. 8살 때 가족과 같이 한 여행이 어린 소년을 꿈꾸게 하였다. 신기한 놀이기구에 반한 것이었다. 대학 졸업 후 입사원서를 냈으나 불합격 통보를 받는다. 대학원 졸업 후 또다시 입사원서를 냈으나 역시 불합격이었다.

그 열정으로 박사를 취득하고 대학교 교수가 되었다. 그러나 디즈니에 대한 꿈은 버리지 않았다. 그리고 그는 15년 만에 입사 대신에 놀이기구를 만들어 공급하는 위치에 서게 되었다. 꿈꾸었던 디즈니 입사는 아니었지만, 마음으로나마 디즈니의 일원이 된 것이다. 디즈니와 함께하겠다는 꿈을 이루기 위해 15년을 기다렸다. 이것을 통해 그는 "인생에 장애물이 왜 존재하는지 배웠다. 장애물은 우리의 꿈이 얼마나 간절한 것인지를 깨닫게 하는 것이다."고 했다. 아울러 좋은 사과謝過의 3가지로 "죄송합니다. I'm sorry, 제 잘못입니다. It's my fault, 어떻게 고칠까요 How do I make it right?"라고 했다.

바라는 바가 없으면 노력하지 않게 된다. 올바른 시간 관리와 성공습관을 길러 한정된 자원으로 성공을 이루기 위한 목표를 구체화하고 목표한 바를 창조해야 한다. 구체적 목표 없는 계획은 공허하고 구체성 없는 목표는 맹목이다. 마음은 무 엇으로 믿든 그 믿음 그대로 해낸다는 말이 있다. 안될 수도 있 다는 제한된 믿음보다 긍정적인 생각으로 절박하게 바라면 꼭 이뤄진다. 절박한 꿈이 있다면 지금 당장 생각부터 바꿔보자. 말로 표현해 보자.

◆ 베트남 전쟁의 포로가 된 제임스 네스멧 James Nesmith 소령은 7년 동 안 독방에 갇혀 있었다. 할 수 있는 일이라고는 상상하는 것이었다. 상 상으로 골프를 치기 시작했다. 자유의 몸이 된 후 7년 전과 비교해 무려 20타나 향상되었다.

꿈을 그리자! 꿈을 시각화해보자!

진로 선택은 내적 동기 즉, 본질적인 목표에 근거해야 한다. 다른 사람들의 요구, 사회적 요구에 부합하는 목표설정은 외 적 동기 즉, 비본질적인 목표에 근거하다 보면 적성에 맞지 않 아 갈등하는 경우를 많이 본다. 꿈은 바람과 다르다. 꿈은 바람 hope보다는 구체적이다.

목적이 있고, 목표가 있다. 목적이 추상적이고 동기에 초점 을 맞춘 것이라면, 통상 목표는 구체적이고 현실적이고 성과 에 초점을 맞춘 것이다. 따라서 목표는 구체적이고, 측정 가능 하고, 달성 가능하고, 현실적이면서도 기한이 정해져 있다.

꿈이 구체화된 것이 목표라 할 수 있다. 목표를 쪼개면 계획이 된다. 그 계획을 실행하면 꿈은 현실이 되는 것이며, 꿈이 들어있는 현실은 다시 미래의 꿈과 목표에 대한 희망을 갖게 한다. 꿈을 이루는 방법은 시각화해보는 것이다.

자기계발 분야의 베스트셀러 작가인 브라이언 트레이시Brian Tracy는 시각화를 통한 현실화 방법으로 빈도, 선명도, 강도, 지속시간이 중요하다고 말했다. 오랫동안 꿈을 그린 이는 마침내 그 꿈을 닮아간다는 말처럼 그만큼 의식적인 노력이 중요하다.

의식적인 힘을 보여주는 이야기가 있다. 미국 철도회사 한 직원이 열차의 냉동 칸을 청소한다. 이때 다른 직원이 이 사실을 모르고 문을 잠그는 바람에 갇히고 만다. 그 다음 날 청소하던 직원이 숨져있는데 이상한 일은 그 안의 온도가 14도였다. 사망 원인은 스스로의 생각에 의한 쇼크사였다. 이러한 현상을 심리학으로 '자기 확신'이라 한다. 일정한 생각 등이 심리적으로 영향을 미친 것이다.

프랑스 약사인에밀 쿠에Emile Coué는 하루에 20번씩 "나는 날마다 모든 면에서 점점 더 좋아지고 있다."고 외쳤다고 한다. 바로 '자기 암시'다. 보물 지도처럼 자신의 목표를 그림 등으로 그리는 것도 필요하다. 이처럼 시각화하면 뇌의 각성과 집중을 담당하는 망상 활성계가 반응하게 되어 원하는 방향으로 행동하게 움직이게 된다. 망상활성계는 척수를 타고 올라오는 감각정보를 취사선택해 대뇌피질로 보내는 신경망이다. 많은

3부 목적이 이끄는 삶

정보 중에서 필요한 정보로 간주할지 말지를 결정하게 되다보니 꿈을 이루는데 필요한 정보가 보다 많이 선택되는 것이다.

한편 꿈과 목표를 시각화했을 때 효과를 예측할 수 있는 결과가 있다. 미국 하버드대학교 설문 조사결과 대학생의 3%만 꿈에 대한 뚜렷한 목표와 실천 방안이 있었다. 13%는 목표는 있었으나 구체적인 계획이 없었고, 나머지는 목표나 계획이 없었다. 10년 후 이들을 추적 관찰한 결과 3%의 대학생들은 수입이 2배에서 10배의 차이를 보였다는 결과가 있다.

능력의 한계를 스스로 정하지 말아야 한다. 생각이 한계가 되는 것이다. 벼룩도 3일간 유리병에 두면 더 높이 뛸 수 있음에도 병뚜껑 높이 그 이상까지는 뛰지 않는다. 스스로의 의식에 장애를 가하는 셀프핸디캡핑self handicapping이다. 코끼리는 어릴 때부터 말뚝에 묶어 놓으면 커서도 멀리 달아나지 못한다. 학습된 무기력에 빠진 것이다.

호박벌은 공기역학적으로 날 수 없음에도 날아다니는 것은 그만큼 날갯짓을 부지런히 한 결과다. 전 영국 총리인 벤저민 디즈레일리는 "위대한 생각을 길러라. 우리는 어떤 일이 있더라도 생각보다 높은 곳으로 오르지 못한다."고 했다.

오스트리아 정신의학자인 알프레드 아들러Alfred Adler는 꿈과 목표를 성취하기 위해 네 가지 측면을 강조했다. 첫째, 꿈과 목표에 대한 가상적 목적fictional finalism. 둘째, 살면서 인생의 큰 그림을 그리는 것. 셋째, 스스로에 대한 자신의 믿음. 넷째, 발전하기 위해서 자신의 열등감을 활용이다.

삶에서 통제할 수 있는 단 한 가지 요소는 노력뿐이며, 노력보다 중요한 것은 바로 꿈꾸는 능력이다. 직업 선택에서 중요한 것은 먼저 적성일 것이다. 금전적인 것이 진로의 기준이 되기보다는 좋아하는 일, 자아실현이 가능한 일, 소소하지만 확실한 행복을 찾을 수 있는 것으로 진로를 택했으면 한다. 어제보다 나아진 자신과 비교하면서 꿈을 향해 나아가다 보면 분명 목표에 도달할 것이다. 노력은 배신하지 않으며, 세상은 꿈꾸는 자의 것이기 때문이다.

꿈을 꾼다는 막연한 생각에서 벗어나 구체적으로 목표를 정하고, 그 목표를 향해 절박한 마음으로 내달려야 한다. 제일 중요한 건 스스로 생각을 제한하지 않는 것이다. 직접 겪어보기보다 두려움으로 포기 먼저 하는 경우가 더 많다. 그건 해보고도 안됐을 때, 해야하는 행동이다. 그런 면에 있어서 다시 한번 생각해보게 된다.

꿈이 이뤄지길 간절히 바란다면 노력하고 온 힘을 다해 매달려야 한다. 어쩌면 간절하고 절박한 정도에 따라 꿈이 어느 정도까지 왔는지를 알 수 있을 것 같다. 이루고 싶은 꿈이 간절한가? 먼저 그것부터 점검하는 것이 제일 중요하다. 꿈은 꿈인 동시에 내일을 살게 하는 힘이 되기 때문이다.

41

반 고흐의
불꽃 같은 삶

　　세계적으로 가장 사랑받는 화가, 한 점에 수천억 원
을 호가하는 그림을 그린 화가, 많은 애호가들이 그의 흔적을
따라 순례길에 오를 정도로 좋아하는 화가, 그는 바로 빈센트
반 고흐Vincent van Gogh 이하 고흐다. 그의 삶은 지금 그려지는 모습
과는 사뭇 달랐다. 아이러니한 삶을 살다간 고흐의 사후 130
년 주년을 맞아 그의 삶을 따라가 보자.

　전업 화가로서 기간은 10년 정도다. 900점에 가까운 그림과
1,100여 점의 스케치를 남겼다. 그의 초기 대표작 〈감자 먹는
사람들1885〉을 그린 나이가 32세였음을 감안하면 사망한 나이
37세까지 불과 5년간 그림에 영혼을 바치며, 예술가로서의 불
꽃같은 삶을 산 셈이다.

오직 그림에 바친 인생, 천상 예술가의 삶

　고흐는 초창기 농민의 현실을 그리는 화가의 꿈을 꾸며, 밀레를 롤모델 삼아 그림을 따라 그리곤 했다. 그의 초기 대표작이 위에서 말한 그림, 감자 먹는 사람들이다. 이 그림은 56회 습작이라는 수고 이후 탄생한 작품이다. 이 그림은 자체 고흐가 그림에 빛을 깨닫고 그린 그림이라는 의미가 있으며, 그의 여동생에게 "자신의 그림 중에 가장 훌륭한 작품으로 남을 거야."라고 한 것처럼 고흐 입장에서는 최고의 작품이었다.

　1888년 2월 고흐는 화가의 공동체를 꿈꾸며 색과 빛을 찾아 떠난 프랑스 남부 프로방스, 아를_{Arles}로 가는 기차에 몸을 싣는다. 그 유명한 노란 집에서 고갱과의 63일간의 공동생활이 시작된다. 고흐는 사실주의적인 성향이 커서 눈에 보이는 대로 그림을 그리고 인간의 내면 또는 대상의 감성을 표현하는 것에 주력했다면, 고갱은 눈에 보이는 것보다 상상 속의 내용을 선순위로 해서 그림을 표현하는 것을 선호했다. 그림에 대한 가치의 차이로 다투는 경우가 많았다. 그 결과 고흐 자신의 귀를 자르는 사건이 발생한다.

　고흐는 그림이 팔리지 않는다는 사실을 바꿀 수는 없지만 언젠가 그림이 물감의 값어치 그 이상의 가치가 있다는 사실을 알아볼 날이 올 것이라며 자신을 위로하곤 했다. 동생 테오_{Theo van Gogh}의 결혼 소식과 고갱이 떠난다는 소식을 접한 당일, 귀를 자르는 사건이 발생했고, 주민들의 민원이 일자 자발적으로 생레미 정신요양원에 입원하여 1년 여를 보낸다.

빈센트 반 고흐, 영원한 별이 되다

사람들은 고흐를 신들린 듯 그림을 그리며 불꽃처럼 삶을 태웠다고 하고, 미치광이 천재화가, 정신적인 괴로움 속에서도 예술의 혼을 불태웠던 상처 입은 치유자라 부르기도 한다. 우리가 잘 아는 그림은 대부분 그의 마지막 2년에 집중되어 있다. 자료에 의하면 1888년 2월부터 15개월간, 아를에 머무는 동안 187점을 그렸고, 약 1년간의 정신병원에서도 '별이 흐르는 밤' 등 142점의 많은 그림을 그린다. 삶의 마지막 장소, 오베르 쉬르 우아즈 Auvers-Sur-Oise의 70여 일 동안 77점의 그림을

빈센트 반 고흐의 마지막 작품 가운데 하나인 '나무 뿌리들(Tree Roots, 1890)

그렸다. 그의 생애 그린 총 868점의 그림 중 406점이 마지막 2년에 집중되어 있다. 관리되지 않은 것을 감안하면 이보다 많았을 것으로 추정된다.

최근 그의 마지막 그림으로 알려진 '나무뿌리들Tree Roots, 1890'라는 제목의 그림을 그린 장소가 발견되어 의미를 더하고 있다. 농부와 노동자를 자기 자신보다 더 챙기던 그는 사람들을 사랑하는 것보다 더 중요한 예술은 없다는 생각한 자존심 강한 사람이었다.

1890년 7월 29일, 인생은 고통이라던 고흐는 동생, 테오의 품에 안긴 채, "이 모든 것이 끝났으면 좋겠다."라는 말을 남기고 사망한다. 고흐가 태어난 네덜란드 준데르트Zundert 반 고흐 광장에는 형제의 동상이 세워져 있다. 그 동상 중심에는 구멍이 네모나게 뚫려있다. 소울메이트이자, 정신적 후원자로서 그동안 동생 테오의 타들어 갔던 마음을 표현하는 것 같아서 가슴이 짠하면서도 안쓰러웠다.

반고흐 연구는 여전히 다각도로 이뤄지고 있다. 위대한 작품을 남긴 만큼 그의 불운했던 생애 역시 많은 사람들에게 영감과 자극을 준다. 핍절한 삶을 살았지만, 작품에 대한 열망과 끈기는 사람들로 하여금 용기를 준다. 끊임없이 노력하고 꾸준히 화가로서의 자리를 지켰던 반 고흐. 죽는 날까지 붓을 쥐고 있었을 정도로 작품에 대한 열망은 집착적이면서도 한편으론 엄청난 열정으로 느껴진다. 오늘이 마지막인 것처럼 산다는 건 고흐의 삶을 두고 하는 말이 아닐까. 고흐야말로 '나다운 삶'을 살아낸 화가라고 생각한다. 주변의 소리에 집중하지 않고, 자신만의 세계를 온전히 구축해 내어 스스로 별이 되었으니 말이다.

2020년은 별을 꿈꾸며 자신의 꿈을 그린 화가 고흐. 그의 사망 130주년 되는 해다. 별을 잉태하려면 혼돈을 품어야 한다는 니체의 말처럼 삶과 예술을 품고 고뇌로 가득 찬 상황에서도 불꽃같이 살다간 한 화가의 생을 돌아봤다. 냉혹한 날씨는 결국 끝나게 되어 있다며 자신을 위로하던 화가, 별을 꿈꾸며 자기의 꿈을 그린 위대한 화가의 37년 짧은 인생을 돌아보면서 자신이 해야 할 일을 결정할 사람은 세상에서 자신밖에 없다는 생각과 인생은 속도가 아니라 방향이라는 진리를 되새겨 본다.

에필로그

노력하는 삶에 대하여

생애 세 번째 책, 『노력은 배신하지 않는다』는 2014년 11월 출판됐다. 그 책의 내용 중 일부를 재정리하고 새로 쓴 글들을 추가해 네 번째 책을 출판하게 됐다.

누군가의 인생에 유익하기를

이번 『단 하나의 질문』을 정리하면서 보니, 열정, 노력 등 마인드셋과 동기유발에 관련한 내용이 많았구나 하는 것을 새삼 느꼈다. 나의 유튜브 채널 이름이 드림캐쳐Dream Catcher인 것만 봐도 그렇다. 나의 주된 관심은 노력하는 삶이다.

책을 출판한다는 것은 단순히 책의 한 권 정도의 의미가 아니라, 책 속의 글을 살아있게 만들고, 한때 이 순간을 살았다는 삶의 흔적이 되기 때문이다. 시간이 흐르면 얼굴 모습뿐만 아니라 생각도 변한다. 그러나 사진처럼 남겨진 글을 보면서 내면의 성숙이 어느 정도 진행되었는지 알 수 있어 좋다.

언론에 꾸준히 기고하는 이유도 위와 같다. 내가 한때 살았다는 흔적을 남기고 내가 이 세상에서 사라지더라도 글은 남는다고 생각하기 때문이다. 글 쓰는 재주는 없으나 이것도 노력의 산물로 탄생하게 되니 필자는 기쁘지만, 독자들은 수고스러울 것 같아 미안한 마음이다.

코로나로 해외여행이 쉽지만은 않지만, 공항으로 가는 철도에 몸을 싣고 가면서 드는 생각은 언제 이 길을 다시 가게 될까 하는 궁금함이다. 마찬가지로 책을 출판하면서 언제 또 출판하게 될까, 이게 마지막 책이 될까 하는 조바심도 든다. 모든 마지막은 슬픈 순간이기 때문이다.

이 책을 읽으면서 교훈을 얻거나 용기를 얻고, 자신감을 되찾을 수 있다면 더할 나위 없이 만족할 것이다. 한 문장이 역사를 바꾸고 사람의 인생을 바꾸는 것처럼 이 글 중 누군가의 삶이 이 책으로 인해 바뀌었다면 더할 나위 없이 기쁠 것 같다.

감사함을 가득 전하며

끝으로 이 책이 나오기까지 강원도 태백에서 응원해 주신 아버지 林正植, 올해 팔순 되신 어머니 金春伊, 장인어른 金炯模, 장모님 林春子. 첫째 동생 昌淑, 제부 權五晙, 조카 權裕景, 權慧珍, 둘째 동생 昌沃, 셋째 동생 昌熙, 제부 尹潽熙, 조카 尹惠鏡, 尹珉碩, 세월이 참 빠르게 흘러감을 실감하면서 묵묵히 내조해준 아내 金銀兒, 아들 志珉, 딸 志柔 그리고 마지막으로 동시대를 살고 있는 귀여운 반려견, 막내 금상이에게도 감사를 전한다.

이 세상에 내가 마치 혼자가 된 것 같았다.
하지만 나를 위로해줄 누군가가 있다는 게 참 행복하다.

지유